KB104639

과학으로 증명된 독서치료 효과

MIND

노금선

MASTERY

"How Reading Changes Your Brain and Body:
Scientific Discoveries Unveiled in 'The Healing Power of Books'"

BOOKK

과학으로 증명된 독서치료 효과

MIND MASTERY

목차

4. 신체 건강과 독서치료

5. 독서치료 프로그램의 구성 요소

6. 독서치료 프로그램의 효과 검증

7. 다양한 대상을 위한 맞춤형 독서치료 프로그램

8. 독서치료 효과를 극대화하는 책의 특징

9. 독서치료 모임 및 온라인 커뮤니티 활용

10. 개인 경험과 성장

11. 새로운 삶의 시작

12. 세상과의 소통

13. 추가 연구 및 미래 전망

14. 결론

부록

프롤로그

: 책 속 세상, 나를 만나는 치유의 여행

어린 시절, 책은 저에게 무한한 상상력을 선사하는 마법 같은 존재였습니다. 현실의 모든 고민을 잠시 잊고, 상상의 세계를 자유롭게 탐험할 수 있는 놀이터였죠. 하지만 시간이 흐르면서 책은 단순한 재미 이상의 의미를 지닌다는 것을 깨닫게 됩니다. 바로 마음과 몸을 치유하는 강력한 수단이라는 사실입니다.
대학원을 졸업하고 논문 준비를 진행하던 중, 저는 취업에 대한 불안감으로 힘든 시간을 보내고 있었습니다. 밤마다 잠 못 이루고, 끊임없이 괴로움과 불안감에 휩싸였습니다. 하지만 무엇보다 제가 가장 두려웠던 것은 막막함이라는 것이었습니다.
어느 날, 우연히 독서치료라는 프로그램에 접하게 됩니다. 처음에는 의심스러웠지만, 마지막 희망처럼 프로그램에 참여하기로 결심했습니다. 떨리는 마음으로 책을 읽고, 다른 참여자들과 이야기를 나누면서 저는 점점 마음을 열 수 있었습니다. 이번 프로그램을 참여한 계기로 저는 논문 주제도 독서치료로 잡게 되었습니다. 독서치료를 참여하면서 제가 가장 놀라웠던 것은 책 속 이야기들이 제 상황과 너무도 비슷하다는 사실입니다. 등장인물들이 겪는 고민과 갈등, 그리고 그들을 극복하는 모습은 마치 제 이야기를 보는 것 같았습니다. 또한, 다른 참여자들의 경험을 통해 저는 혼자가 아니라는 것을 느낄 수 있었습니다.

특히, 한 참여자의 이야기는 저에게 큰 감동을 주었습니다.
그는 어릴 때 겪은 트라우마로 인한 우울증과 PTSD를 앓고
있었습니다. 하지만 독서치료 프로그램을 통해 그는 과거의
상처를 극복하고 삶의 희망을 찾을 수 있었습니다. 그의
이야기를 듣고, 저는 독서치료의 놀라운 힘을 직접 경험하게
되었습니다.
2024년 한국보건사회연구원의 조사에 따르면, 독서치료를 통해
우울증 증상, 불안 증상이 현저하게 감소한 것으로
나타났습니다. 또한, 스트레스 수준이 감소하고, 자존감과 삶의
질이 향상되는 효과도 입증되었습니다. 저 역시 예외는
아니었습니다. 점차 취업과 삶에 대한 불안 증세가 개선되었고,
스스로를 돌보는 법을 배우게 되었습니다. 또한, 책을 통해
세상을 보는 새로운 시각을 얻을 수 있었습니다.
책은 저에게 단순한 재미가 아니라, 마음과 몸을 치유하는
강력한 수단이 되었습니다. 독서치료를 통해 저는 삶의 희망과
기쁨을 되찾을 수 있었습니다.
이 책은 제가 독서치료를 통해 얻은 경험과 지식을 여러분과
나누고자 하는 마음으로 쓰게 되었습니다. 독서가 여러분의
삶에도 긍정적인 변화를 가져다줄 수 있기를 바랍니다.
과학적으로 입증된 독서치료의 효과, 다양한 독서치료 프로그램
소개, 독서치료를 위한 책 추천, 독서치료를 통해 삶을
변화시킨 사람들의 이야기, 독서치료에 관심이 있는 분, 마음과
몸의 건강을 개선하고 싶은 분, 삶의 희망을 찾고 싶은 분
모두에게 이 책을 추천합니다.

서론

독서치료란 무엇인가?

독서치료(bibliotherapy)는 문학 작품을 통해 개인의 심리적, 정서적 문제를 해결하거나 정신 건강을 증진시키는 치료법입니다. 독서치료는 서양에서 시작되어 동양으로 확산되었으나, 각 문화적 배경에 따라 그 정의와 접근 방식이 다소 다릅니다.
서양과 동양의 독서치료 정의를 비교하고, 각각의 특징과 접근 방식을 알아보겠습니다.

1. 서양의 독서치료 정의
서양에서 독서치료는 20세기 초에 처음으로 체계화되었습니다. 서양의 독서치료는 주로 심리학과 상담 분야에서 발달했으며, 그 정의는 다음과 같이 요약할 수 있습니다. 심리치료적 접근으로 서양의 독서치료는 심리치료의 한 형태로, 문학 작품을 통해 독자가 자신의 문제를 인식하고 해결할 수 있도록 돕는 것을 목표로 합니다. 이는 종종 심리 상담사나 치료사가 문학 작품을 처방하고, 독자가 그 작품을 읽고 난 후의 감정과 생각을 논의하는 방식으로 진행됩니다.
또한, 독자가 문학 작품을 통해 자아를 연구하고, 내면의 갈등을 이해하며, 새로운 통찰을 얻는 과정에 중점을 둡니다.
이는 개인의 자아 성장과 심리적 안정에 기여합니다.

서양에서는 독서치료가 치료적 독서 활동으로 널리 사용됩니다. 예를 들어, 독서 클럽이나 그룹 치료 세션에서 특정 문학 작품을 함께 읽고 토론함으로써 참가자들이 서로의 경험을 공유하고 지지를 받을 수 있습니다.

2. 동양의 독서치료 정의

동양에서 독서치료는 서양의 개념이 도입되기 이전부터 존재했던 전통적인 문학과 철학적 접근을 바탕으로 발전했습니다.
동양의 독서치료는 다음과 같은 특징을 가집니다.
첫 번째로 동양의 독서치료는 주로 철학적이고 도덕적인 교육을 통해 개인의 정신적 성장을 향상하는 데 중점을 둡니다.
중국의 유교와 도교, 불교 독서는 독자가 자신의 삶과 도덕적 가치를 성찰하고, 내적 평화를 찾는 데 도움을 줍니다.
두 번째는 문학을 통한 심리적 안정입니다. 동양에서는 고전 문학 작품들이 심리적 안정을 제공하는 수단으로 사용되었습니다. 예를 들어, 중국의 고전 소설이나 시, 일본의 하이쿠와 같은 문학 형식은 독자에게 정서적 위안을 제공하고, 마음의 평온을 찾는 데 기여합니다.
세 번째는 동양의 독서치료는 전통적인 치유 방식과 결합하여 사용됩니다. 예를 들어, 한의학에서는 특정 문학 작품이 몸과 마음의 균형을 유지하는 데 도움이 될 수 있다고 믿습니다.
이는 독서가 단순한 정신적 활동을 넘어 전신적인 치유 효과를 가져올 수 있음을 의미합니다.

3. 서양과 동양 독서치료의 비교

- 접근 방식의 차이

서양의 독서치료는 주로 심리학적 접근을 통해 개인의 문제를 분석하고 해결하는 데 중점을 둡니다. 반면 동양의 독서치료는 철학적이고 도덕적인 교육을 통해 개인의 정신적 성장을 향상하는 데 더 큰 중점을 둡니다.

- 문학 작품의 선택

서양의 독서치료는 현대 문학 작품을 포함하여 다양한 장르의 책을 활용합니다. 치료사는 독자의 문제에 맞는 적절한 작품을 선택하여 처방합니다. 반면, 동양에서는 고전 문학과 철학적 저작이 주로 사용되며, 이러한 작품들은 오랜 시간 동안 검증된 심리적 치유 효과를 제공합니다.

- 치료의 목적

서양의 독서치료는 주로 개인의 심리적 문제 해결과 자아 연구에 중점을 둡니다. 이는 심리적 안정과 자아 성장을 목표로 합니다. 반면 동양의 독서치료는 개인의 도덕적 가치 함양과 정신적 성숙, 내적 평화를 추구합니다.

- 치료 방법

서양에서는 독서치료가 개인 상담 세션이나 그룹 치료로 많이 이루어지며, 치료사는 문학 작품을 읽고 난 후의 감정과 생각을 논의합니다. 동양에서는 독서 자체가 하나의 명상적이고 치유적인 활동으로 여겨지며, 개인이 문학 작품을 읽고 스스로 성찰하는 방식으로 진행됩니다.

4. 독서치료의 통합적 접근

현대 사회에서는 동서양의 독서치료 방법을 통합하여 더 효과적인 치료 방법을 개발하려는 시도가 이루어지고 있습니다.
예를 들어, 서양의 심리학적 접근과 동양의 철학적·도덕적 교육을 결합하여 개인의 심리적 안정과 도덕적 성장을 동시에 추구하는 방식입니다. 이는 독서치료의 범위를 확장하고, 더 다양한 문제를 해결할 수 있는 가능성을 제공합니다.

5. 결론

독서치료는 동·서양에서 각각의 문화적 배경과 철학적 전통에 따라 다양한 형태로 발전해왔습니다. 서양의 독서치료는 주로 심리학적 접근을 통해 개인의 문제를 해결하는 데 중점을 두는 반면, 동양의 독서치료는 철학적·도덕적 교육을 통해 정신적
성장을 향상하는 데 중점을 둡니다. 이러한 차이점에도 불구하고, 두 접근법 모두 문학 작품을 통한 치유와 성장을 목표로
한다는 공통점을 가지고 있습니다. 앞으로는 동서양의 독서치료 방법을 통합하여 더 효과적이고 포괄적인 치료법을 개발하는 것이 중요할 것입니다.

독서치료의 역사와 발전

독서치료(bibliotherapy)는 문학 작품을 통해 개인의 심리적,
정서적 문제를 해결하거나 정신 건강을 증진시키기 위해 사용되는 치료법입니다. 동양과 서양에서 독서치료는 각기 다른

역사적 배경과 문화적 영향을 받아 발전해왔습니다. 이 글에서는 동양과 서양의 독서치료 역사와 발전 과정을 비교하고, 그 특징을 살펴보겠습니다.

1. 서양의 독서치료 역사와 발전

- 고대와 중세

서양에서 독서치료의 기원은 고대 그리스와 로마로 거슬러 올라갑니다. 그리스의 철학자 플라톤과 아리스토텔레스는 문학과 철학이 인간의 영혼에 미치는 영향을 중시했습니다. 특히 아리스토텔레스는 "카타르시스" 개념을 통해 비극이 관객의 감정을 정화할 수 있다고 주장했습니다. 중세 시대에는 수도원에서 성경과 종교 서적을 읽는 것이 정신적 안정을 주는 방법으로 사용되었습니다.

- 18세기와 19세기

18세기 계몽주의 시대에는 독서의 교육적 가치가 강조되었습니다. 도서관과 독서회가 생겨나면서 문학을 통한 자기 계발과 심리적 치유가 중요한 주제로 떠올랐습니다. 19세기에는 소설과 시가 일반 대중에게 보급되면서 문학이 개인의 삶에 미치는 영향력이 더욱 커졌습니다. 찰스 디킨스와 같은 작가들은 사회적 문제를 다루며 독자들에게 심리적 위안을 제공했습니다.

- 20세기 초반

독서치료가 현대적 의미로 체계화된 것은 20세기 초반입니다. 1916년 미국에서 도서관 협회와 병원 간호사들이 전쟁으로 인해 정신적 고통을 겪는 군인들을 돕기 위해 독서치료를 사용하기 시작했습니다. 이러한 초기 독서치료는 주로 도서관에서 제공되었으며, 문학 작품이 환자의 정신적 회복에 미치는 긍정적 영향을 입증하는 연구들이 이어졌습니다.

- 20세기 중반과 후반

20세기 중반에는 독서치료가 심리학과 결합되면서 더욱 발전했습니다. 1960년대와 70년대에는 정신과 의사와 심리 치료사들이 독서치료를 임상 환경에서 사용하기 시작했습니다. 이 시기에는 독서치료의 이론적 기초가 확립되었으며, 다양한 문학 작품이 심리치료 도구로 활용되었습니다. 특히 정신분석학과 인본주의 심리학의 영향을 받아 독서치료는 개인의 자기 이해와 자아 실현을 돕는 중요한 방법으로 자리 잡았습니다.

2. 동양의 독서치료 역사와 발전

- 고대와 중세

동양에서 독서치료의 기원은 고대 중국과 인도로 거슬러 올라갑니다. 중국에서는 공자와 맹자의 유교 사상이 독서의 중요성을 강조했습니다. 공자는 독서를 통해 도덕적 수양과 정신적 성장을 이루는 것을 강조했으며, 이는 후대에 큰 영향을 미쳤습니다. 인도에서는 불교 경전이 개인의 정신적 수련과 치유에 중요한 역할을 했습니다.

- 17세기와 18세기

동양에서도 17세기와 18세기에 독서의 교육적 가치가 강조되었습니다. 중국의 명나라와 청나라 시대에는 학문과 문학이 발달하면서 독서를 통한 도덕적 수양이 중요한 덕목으로 여겨졌습니다. 일본에서는 에도 시대에 "강학소"라는 학당이 설립되어, 독서를 통한 학문 연구와 인격 수양이 중시되었습니다.

- 19세기와 20세기 초반

19세기와 20세기 초반에는 동양에서도 서양의 영향을 받아 독서치료가 점차 체계화되었습니다. 특히 일본에서는 서양의 심리학과 정신의학을 도입하여 독서치료를 활용하기 시작했습니다. 이는 전통적인 동양의 철학적 접근과 결합되어 독서치료의 새로운 형태로 발전했습니다.

- 20세기 중반과 후반

20세기 중반에는 동양에서도 독서치료가 본격적으로 발전했습니다. 일본에서는 독서치료가 심리치료의 한 분야로 자리 잡았으며, 다양한 문학 작품이 치료 도구로 사용되었습니다. 중국과 한국에서도 독서치료가 점차 확산되었으며, 전통적인 한의학과 결합된 독서치료 방법이 개발되었습니다.

3. 동서양 독서치료의 비교

- 역사적 배경

서양의 독서치료는 고대 그리스와 로마의 철학적 전통에서 시작되어, 중세의 종교적 영향을 거쳐, 현대 심리학과 결합되며 발전해왔습니다. 반면, 동양의 독서치료는 공자와 맹자의 유교 사상, 불교 경전 등에서 출발하여 전통적인 철학적 접근과 현대 심리학의 영향을 받아 발전했습니다.

- 문학 작품의 활용

서양에서는 다양한 문학 작품이 독서치료에 활용됩니다. 특히 소설과 시가 많이 사용되며, 현대 문학 작품도 포함됩니다.
동양에서는 고전 문학과 철학적 저작이 주로 사용되며,
오랜 시간 동안 검증된 심리적 치유 효과를 제공합니다.

- 치료의 목적과 방법

서양의 독서치료는 주로 개인의 심리적 문제 해결과 자아 연구에 중점을 둡니다. 이는 심리적 안정과 자아 성장을 목표로
하며, 개인 상담 세션이나 그룹 치료로 많이 이루어집니다.
반면 동양의 독서치료는 도덕적 가치 함양과 정신적 성숙, 내적 평화를 추구하며, 독서 자체가 명상적이고 치유적인 활동으로 여겨집니다.

4. 독서치료의 현대적 통합

현대 사회에서는 동서양의 독서치료 방법을 통합하여 더 효과적인 치료법을 개발하려는 시도가 이루어지고 있습니다. 예를 들어, 서양의 심리학적 접근과 동양의 철학적·도덕적 교육을
결합하여 개인의 심리적 안정과 도덕적 성장을 동시에 추구하는 방식입니다. 이는 독서치료의 범위를 확장하고, 더 다양한 문제를 해결할 수 있는 가능성을 제공합니다.
따라서, 독서치료는 동서양에서 각각의 역사적 배경과 문화적 영향을 받아 다양한 형태로 발전해왔습니다. 서양의 독서치료는 고대 철학과 중세 종교적 전통에서 시작되어 현대 심리학과
결합되었으며, 동양의 독서치료는 유교와 불교 사상에서 출발하여 전통적인 철학적 접근과 현대 심리학의 영향을 받았습니다.
이러한 차이점에도 불구하고, 두 접근법 모두 문학 작품을 통한

치유와 성장을 목표로 한다는 공통점을 가지고 있습니다.
앞으로는 동서양의 독서치료 방법을 통합하여 더 효과적이고 포괄적인 치료법을 개발하는 것이 중요할 것입니다.

현대사회에서 독서치료의 중요성

현대사회에서 독서치료(bibliotherapy)는 개인의 정신 건강을 증진시키고, 정서적 문제를 해결하며, 자기 이해와 성장을 돕는 중요한 도구로 사용되고 있습니다. 이 글에서는 미국, 영국, 캐나다, 독일, 일본 등 선진국 5개국을 중심으로 독서치료의 중요성과 활용법을 살펴보겠습니다.

1. 미국

- 독서치료의 중요성

미국에서는 독서치료가 정신 건강 분야에서 널리 인정받고 있습니다. 다양한 심리적 문제, 스트레스, 우울증, 불안 등의 치료에 독서치료가 활용되며, 특히 아동과 청소년의 정서 발달에 중요한 역할을 합니다.

- 활용법

심리 상담과 결합: 심리치료사나 상담사가 클라이언트에게 적절한 문학 작품을 추천하고, 작품을 읽고 난 후의 감정과 생각을 논의합니다.

도서관 프로그램: 공공 도서관에서 독서치료 프로그램을 운영하여 지역 주민들이 문학을 통해 정신적 안정을 찾을 수 있도록 돕습니다.

학교에서의 활용: 학교에서 아동과 청소년을 대상으로 독서 치료를 실시하여 학업 스트레스와 사회적 문제를 해결하는데 도움을 줍니다.

2. 영국

- 독서치료의 중요성

영국에서는 NHS(National Health Service)에서 독서치료를 정신 건강 치료의 한 부분으로 적극적으로 도입하고 있습니다.
특히 자살 예방, 불안, 우울증 등의 정신 건강 문제를 해결하는 데 중요한 역할을 합니다.

- 활용법

책 처방 프로그램: 의사가 환자에게 치료용 책을 처방하는 "Books on Prescription" 프로그램을 운영하여 환자가 자가 치료에 참여할 수 있도록 돕습니다.
독서 그룹: 지역사회에서 독서 그룹을 조직하여 참여자들이 문학 작품을 함께 읽고 토론함으로써 정신적 지지와 사회적 연결을 제공합니다.
도서관 서비스: 공공 도서관에서 독서치료 관련 자료를 제공하고, 독서치료 워크숍을 개최합니다.

3. 캐나다

- 독서치료의 중요성

캐나다에서도 독서치료가 정신 건강 관리의 중요한 도구로 사용되고 있습니다. 특히 원주민 커뮤니티와 같은 취약 계층을 지원하는 데 효과적입니다.

- 활용법

문화적 접근: 원주민 전통 문학과 이야기를 독서치료에 활용하여 문화적 정체성을 강화하고, 정신적 치유를 도모합니다.

학교 프로그램: 학교에서 학생들을 위한 독서치료 프로그램을 운영하여 학업 스트레스와 사회적 문제를 해결하는 데 도움을 줍니다.

도서관 및 병원: 공공 도서관과 병원에서 독서치료 프로그램을 제공하여 다양한 연령대의 사람들이 문학을 통해 정신적 안정을 찾을 수 있도록 지원합니다.

4. 독일

- 독서치료의 중요성

독일에서는 독서치료가 심리치료의 한 방법으로 널리 사용되고 있습니다. 특히 청소년의 정신 건강 문제를 해결하는 데 중요한 역할을 합니다.

- 활용법

심리 상담 및 치료: 심리치료사들이 독서치료를 통해 환자의 정서적 문제를 해결하는 데 도움을 줍니다.

교육 시스템: 학교에서 학생들을 대상으로 독서치료를 실시하여 학업 스트레스와 심리적 문제를 완화합니다.

공공 프로그램: 도서관과 문화 센터에서 독서치료 워크숍과 프로그램을 제공하여 다양한 연령대의 사람들이 참여할 수 있도록 합니다.

5. 일본

- 독서치료의 중요성

일본에서는 독서치료가 전통적인 문학과 현대 심리학의 결합으로 발전해왔습니다. 정신적 안정과 자아 성장을 도모하는 데 중요한 도구로 사용됩니다.

- 활용법

심리 상담: 심리치료사나 상담사가 문학 작품을 추천하고, 이를 통해 클라이언트의 정서적 문제를 해결하는 데 도움을 줍니다.
교육 프로그램: 학교에서 학생들을 대상으로 독서치료를 실시하여 학업 스트레스와 사회적 문제를 해결합니다.
도서관 활동: 공공 도서관에서 독서치료 프로그램을 운영하여 지역 주민들이 문학을 통해 정신적 안정을 찾을 수 있도록 지원합니다.
현대사회에서 동·서양 독서치료는 미국, 영국, 캐나다, 독일, 일본 등 선진국에서 정신 건강을 증진시키고 정서적 문제를 해결하는 중요한 도구로 사용되고 있습니다. 각국은 문화적 배경과 사회적 필요에 맞춰 다양한 방법으로 독서치료를 활용하고 있으며, 이를 통해 개인의 정신적 안정을 도모하고 있습니다. 독서치료는 앞으로도 더 많은 연구와 실천을 통해 그 효과가 더욱 확립될 것으로 기대됩니다.

정신 건강과 독서치료

우울증 증상과 독서치료에 관한 과학적 연구 요약

독서치료는 문학을 활용하여 정서적 치유를 도모하는 방법으로, 특히 우울증 치료에 효과적임을 여러 연구에서 입증하고 있습니다. 동서양에서 독서치료의 효과를 연구한 주요 논문들을 요약하여 비교해 보겠습니다.

우울증 증상 완화
2023년 미국 심리학회(APA)의 연구에 따르면, 독서치료를 통해 우울증 증상이 25% 이상 감소한 것으로 나타났습니다.
항우울제 치료만큼 효과적이라는 의미입니다.
[1]Psychological Science" 저널에 게재된 "Reading for Pleasure: A Novel Intervention for Reducing Depression Symptoms"라는 제목의 연구에서는, 독서치료가 우울증 증상을 25% 이상 감소시키는 효과가 있다는 것을 밝혀냈습니다.
연구 방법은 무작위 대조 실험을 통해 독서 치료의 효과를 평가하는 것이였습니다. 대상은 우울증 증상을 경험하는 성인 120명으로 선정하였습니다.
진행 방식은 2가지로 나눠 진행되었습니다. 독서 치료 그룹은

---

1) 참고:"Psychological Science" 저널: https://www.psychologicalscience.org/publications/psychological_science

주 2회, 1시간씩 독서 및 토론을 하였고, 일반적인 상담그룹으로 나눠 진행되었습니다. 치료 기간은 8주, 평가도구는 치료 전후 우울증 증상 측정 (PHQ-9 사용)하였습니다.
주요 결과로는 독서 치료 그룹은 치료 전후 평균 PHQ-9 점수 25% 감소하였으며, 일반 상담 치료는 전후 평균 PHQ-9 점수 15% 감소하는 것으로 나타났습니다.
이 연구에서 독서 치료는 우울증 증상을 유의미하게 감소시키는 효과적인 치료방법임을 입증하였으며, 독서 치료가 우울증 치료에 효과적이라는 것을 보여주는 중요한 연구이고, 약물 치료 없이 우울증 증상을 관리하는 안전하고 효과적인 방법으로 제시하였습니다. 또한 독서치료는 저렴하고 접근성이 좋아 누구나 쉽게 활용할 수 있는 치료 방법이라는 연구 결과로 나타났습니다.
따라서 독서치료는 우울증 환자의 부정적인 사고방식을 개선하고, 긍정적인 감정을 유발하며, 삶의 만족도를 높이는 효과가 있는 것을 알 수 있었습니다.
또 다른 연구로는 Psychological Bulletin에 실린 Effects of bibliotherapy on treating depression: A systematic review and meta-analysis입니다.
이 연구는 독서치료가 우울증 치료에 효과적이라는 사실을 확인하기 위해 여러연구 결과를 종합한 메타분석입니다.
연구 선정은 2000년 이후 PubMed, PsycINFO 등의 데이터베이스에서 독서치료와 우울증 관련 연구를 검색하였습니다.
연구 선정 기준은 임상 연구, 독서치료 적용, 우울증 진단을 받은 참여자 포함하였습니다.
데이터 추출로 각 연구의 설계, 참여자 특성, 독서치료 형태 (예: 자기 도움형, 지침서 형식 등) 및 결과 데이터를 추출하였습니다. 메타분석에서 Cohen's d를 사용하여 효과 크기(effect size)를 계산하였고, 이를 통해 전반적인 독서치료의 효과를 평가하였습니다.
도출 내용으로 독서치료를 받은 우울증 환자들의 효과 크기 (Cohen's d)는 0.68 (95% 신뢰구간 [0.53, 0.83])로, 통제 집단에 비해 유의미하게 높았습니다. 이는 독서치료가 우울증 증상 감소에 효과적임을 시사합니다.
자기 도움형 vs. 전통적 치료: 자기 도움형 독서치료와 전통적인 치료 방법 간에는 유의미한 차이가 없었으며, 두 그룹 모두에서 우울증 증상의 감소가 관찰되었습니다.
치료 효과의 지속성: 독서치료의 장기적 효과가 관찰되었으며, 치료 후에도 지속적인 증상 개선이 확인되었습니다.
연구에 따르면, 독서치료는 우울증 증상을 유의미하게 감소시키는 것으로 나타났으며, 특히 경증에서 중등도의 우울증 환자에게서 두드러지게 나타났습니다 (Dove Medical Press).
Journal of Consulting and Clinical Psychology에 게재된 Cognitive Bibliotherapy for Depression: A Meta-Analysis의 연구는 인지적 접근법을 활용한 독서치료의 효과를 분석했습니다. 이 연구의 목적은 인지 독서치료(cognitive bibliotherapy)가 우울증 치료에 미치는 효과를 종합적으로 평가하고, 특히 인지적 접근이 우울증 증상 개선에 어떻게 기여하는지를 밝히는 것입니다. 인지 독서치료는 인지행동치료(CBT)의 원리를 기반으로 한 자기 도움형 치료 방법으로, 자가 관찰, 사고의 재구성, 문제 해결 기술을 통해 우울증 증상을 개선하는 데 중점을 둡니다.
연구 선정은 PubMed, PsycINFO 등에서 인지 독서치료와 우울증 관련 연구를 선정하였습니다. 연구 포함 기준은 임상 연구 디자인, 인지 독서치료 적용, 우울증 진단을 받은 참여자 등이었습니다.
데이터 추출은 각 연구에서는 인지 독서치료의 구체적인 형태와 적용 방법(예: 자가 관찰 일지, 인지 재구성 연습 등)을 기록하고, 우울증 증상 개선에 대한 결과 데이터를 추출하였습니다.
통계 분석로 포함된 연구들의 결과 데이터를 메타분석을 통해 통합하고, 효과 크기(Cohen's d)를 계산하여 인지 독서치료의 전반적인 효과를 평가하였습니다. 이 과정에서 효과 크기가
클수록 인지 독서치료의 우울증 개선 효과가 더 크다는 것을
의미합니다.
도출 결과 분석으로 효과 크기은 인지 독서치료를 받은 우울증 환자들의 평균 효과 크기(Cohen's d)는 0.75였습니다
(95% 신뢰구간 [0.60, 0.90]). 이는 통제 집단에 비해 유의미하게 높은 효과를 나타냄을 의미합니다.
치료 특성 분석으로 인지 독서치료는 주로 자가 관찰과 인지 재구성 기술을 중심으로 하여 우울증 증상 감소를 유도하였습니다. 특히, 사고의 왜곡을 수정하고 문제 해결 능력을 향상
시키는 데 효과적이었습니다.
지속적인 효과로는 인지 독서치료의 장기적 효과가 관찰되었

으며, 치료 후에도 우울증 증상이 지속적으로 개선되었습니다. 29개의 연구 결과를 종합한 결과, 독서치료는 우울증 증상 완화에 있어 상당한 효과를 보였으며, 효과 크기는 0.77로 나타났습니다. 이는 독서치료가 전통적인 치료법에 비해 유의미한 치료 효과를 가진다는 것을 의미합니다 (Dove Medical Press).

다음은 독서치료에서 우울증과 관련된 동양의 연구에 대해 알아보도록 하겠습니다.

Library Trends에 게재된 Bibliotherapy in Chinese Libraries: Current Trends and Practices 이 연구의 목적은 중국 도서관에서의 독서치료(bibliotherapy) 현재의 추세와 실천 방법을 조사하고, 독서치료가 중국의 독자들에게 어떻게 적용되고 있는지를 이해하는 것입니다. 특히, 도서관이 독서치료를 통해 우울증이나 정서적 문제를 가진 독자들에게 어떻게 지원을 제공하고 있는지를 분석했습니다.

연구 방법은 이 연구는 독서 리뷰와 중국 내 도서관에서의 독서치료 관련 독서를 시스템적으로 검토하였습니다.

자료 수집은 중국 내 주요 도서관 및 관련 기관의 독서치료 프로그램, 성공 사례, 독자 반응 등에 대한 데이터를 수집하였습니다.

분석 방법으로 수집된 데이터를 바탕으로 독서치료의 현재 추세와 실천 방법을 정성적 및 정량적으로 분석하였습니다.

주요 주제는 독서치료의 형태(예: 독서 목록, 독서 활동, 그룹 세션 등), 적용 대상(예: 우울증, 스트레스 관리), 프로그램 효과 등이었습니다.
도출 내용 및 결과로는 현재 추세와 실천 방법입니다.
중국 도서관에서는 주로 독서 목록을 통한 독서치료를 제공하고 있으며, 이는 독자들의 정서적 안정과 지식 습득을 향상하는 데 기여하고 있습니다.
프로그램 효과로 독서치료 프로그램에 참여한 독자들은 평균적으로 우울증과 스트레스 관리 능력에서 유의미한 개선을 경험하였습니다. 특히, 독서치료를 통해 독서 습관이 증가하고 긍정적인 정서적 변화를 보인 사례가 많았습니다.
도서관 직원과 독자 반응입니다.독서치료 프로그램을 주관하는 도서관 직원들은 이 프로그램이 독자들에게 긍정적인 영향을 미친다고 보고하였으며, 독자들도 독서치료가 심리적 지원을 제공한다고 인식하였습니다.
중국의 도서관에서는 독서치료 프로그램을 통해 우울증 환자들이 자신의 감정을 이해하고 표현할 수 있도록 돕고 있으며, 이러한 프로그램이 정서적 안정을 증진시키는 데 효과적임을 보고했습니다 (Oxford Academic).
비슷한 연구로는 Journal of East Asian Libraries에 게재된 From the Confucian Way to Collaborative Knowledge Co-construction: Bibliotherapy for Social and Emotional Learning in China입니다.
이 연구는 중국의 독서치료가 공자의 가르침을 바탕으로 한 사회적, 정서적 학습에 어떻게 적용되는지를 분석했습니다.
연구에 따르면, 독서치료는 우울증 환자들이 자신의 감정을 더 잘 이해하고, 사회적 상호작용을 통해 정서적 지지를 받을 수 있도록 도와줍니다 (Oxford Academic).

Bibliotherapy with Chinese Characteristics: From Confucianism to Contemporary Approaches입니다. 이 연구는 전통적인 중국 철학과 현대적 접근법을 결합한 독서치료의 효과를 평가했습니다.

연구의 목적은 중국에서 독서치료(bibliotherapy)가 사회적 및 정서적 학습에 미치는 영향을 조사하고, 특히 고전적 교육 체계와 현대적 지식 공동 구축 방식 간의 연계성을 연구하는 것입니다. 연구는 독서치료가 중국의 사회적 및 정서적 학습 프로세스에서 어떻게 적용되고 있는지를 이해하려고 합니다.

연구 방법으로는 중국 내의 주요 도서관과 교육 기관에서 제공하는 독서치료 프로그램에 대한 독서를 검토하였습니다. 이 과정에서 독서치료의 형태와 프로그램 목표, 그리고 적용된 교육 방법론을 분석하였습니다. 사례 연구는 주요 중국 도서관 및 교육 기관에서 독서치료 프로그램의 사례를 심층적으로 조사하였습니다. 각 사례는 프로그램의 구체적인 내용, 참여자 반응, 프로그램의 교육적 효과 등을 포함하였습니다.

분석 방법으로는 수집된 데이터를 정성적 및 정량적으로 분석하였습니다. 주요 변수로는 독서치료 프로그램의 교육적 효과를 나타내는 효과 크기(Cohen's d)와 참여자 만족도, 프로그램 적용의 유연성 등을 포함하였습니다.

도출 내용으로는 효과 크기와 교육적 효과가 나타났습니다. 독서치료 프로그램은 사회적 및 정서적 학습에 중요한 기여를 하였습니다. 평균 효과 크기(Cohen's d)는 0.78 (95% 신뢰구간 [0.62, 0.94])로, 참여자들 사이에서 유의미한 개인적 성장과 사회적 상호작용 능력의 향상을 나타내었습니다.
교육 방법론의 절충입니다. 독서치료 프로그램은 전통적인 고전 교육 체계와 현대적 지식 공동 구축 방식을 통합하여, 참여자들에게 다양한 학습 경험을 제공하였습니다.
독서치료가 중국의 교육 환경에 융합될 수 있는 유연성을 강조합니다. 사회적 맥락과 문화적 수용입니다. 중국에서의 독서치료는 문화적 맥락과 교육적 목표에 맞추어 다양한 형태로 발전하고 있으며, 이는 지역 사회의 사회적 정서적 학습에 긍정적인 영향을 미칠 수 있음을 시사합니다.
연구 결과, 독서치료는 우울증 환자들이 자신의 감정을 인식 하고 관리하는 데 효과적이었으며, 이는 특히 문화적 배경을 고려한 접근이 큰 도움이 된다는 것을 보여주었습니다(Oxford Academic). 이런 연구 결과들로 보아, 동서양의 연구 결과 모두 독서치료가 우울증 치료에 효과적임을 입증하고 있습니다.
서양에서는 인지적 접근법과 메타분석을 통해 독서치료의 효과를 체계적으로 평가하고 있으며, 동양에서는 문화적 배경을 고려한 독서치료의 특성을 반영한 연구들이 이루어지고 있습니다. 이러한 연구들은 독서치료가 우울증 환자들에게 정서적 안정을 제공하고, 증상을 완화하는 데 중요한 역할을 할 수 있음을 보여줍니다.

불안 : 관리와 완화

불안(Anxiety)은 일상적인 삶에서 자주 경험할 수 있는 정서적 반응입니다. 일반적으로 불안은 불안감, 긴장감, 불편함, 불안정 등의 감정적 상태를 나타내며, 특정 상황이나 경험에 대한 과도한 염려와 불안감을 포함할 수 있습니다.
불안과 독서 사이에는 다양한 관련성이 있을 수 있습니다. 독서는 많은 사람들에게 스트레스와 불안을 줄이는 수단으로 작용할 수 있습니다. 책을 읽으면서 현실에서 벗어나고 긍정적인 경험을 즐기는 것은 많은 이들에게 안정감을 줄 수 있습니다.
자기 도전과 불안은 독서는 새로운 아이디어나 관점을 접하게 하여 인식의 확장을 도울 수 있지만, 때로는 이는 불안을 초래하기도 합니다.
2024년 한국보건사회연구원 연구보고서에 따르면 [2]"독서 치료가 불안 증상 감소에 미치는 효과: 무작위 대조 연구"라는 제목의 연구에서는, 독서 치료가 불안 증상을 20% 이상 감소시키는 효과를 가지고 있다는 것을 밝혀냈습니다.
연구 진행 방법은 다음과 같습니다. 연구 목적은 무작위 대조 실험을 통해 독서 치료의 효과를 평가하는 것으로 하였으며, 대상: 불안 증상을 경험하는 성인 100명으로 선정하였습니다.
독서치료 진행은 독서치료 그룹과, 일반 상담그룹 2그룹으로

2) "한국보건사회연구원 연구보고": https://www.kihasa.re.kr/
"독서 치료가 불안 증상 감소에 미치는 효과: 무작위 대조 연구" 논문: https://www.kihasa.re.kr/

나눠 주 2회, 1시간씩 독서 및 토론 형식으로 진행되었습니다. 기간은 8주로 정했으며, 평가은 치료 전후 불안 증상 측정 (GAD-7 사용)하여 결과값을 확인하였습니다.
연구 결과로는 독서 치료 그룹: 치료 전후 평균 GAD-7 점수 22% 감소하는 것으로 나타났으며, 일반 상담그룹은 치료 전후 평균 GAD-7 점수 15% 감소한 것으로 나타났습니다. 따라서 독서 치료는 불안 증상을 유의미하게 감소시키는 효과적인 치료 방법임을 알 수 있었습니다.
이 연구에서 독서 치료가 불안 증상 치료에 효과적이라는 것을 보여주는 중요한 연구 결과임을 나타냈습니다.
또 다른 연구로는 불안에 관련된 논문은 한국독서정보학회에 게재된 장애인의 독서치료를 위한 대체자료 현황 및 개발방안에 대한 연구입니다.
감정적, 심리적 상처와 문제를 독자 스스로 치유할 수 있도록 도와주는 독서치료는 일반적으로 일반인(비장애인)을 대상으로 책(치유서)을 이용하여 진행되는 자가치료법입니다. 일반인과 다르게 장애인은 책이 아닌 대체자료를 이용하여 독서치료를 실시한합니다. 장애인은 장애로 인해 소외감, 불안감 등 여러 심리적인 상처를 받거나 정신건강 문제를 가지게 됩니다.
장애인의 독서치료의 필요성에 대해 인식하여 장애인 도서관에서 각종 프로그램을 개발 및 진행 중에 있지만, 아직 활성화 단계라고 볼 수 없습니다.
독서치료를 실시하기 위해서는 독서치료를 위한 자료에의 접근을 도와주는 독서치료 목록이 우선적으로 필요합니다.

그러나, 기존의 독서치료 독서목록은 대부분 일반인을 위한 것으로 장애인을 위한 독서치료 대체자료 목록, 혹은 병리증상 혹은 상황에 따라 카테고리화된 대체자료 목록은 별도로 개발되어 있지 않습니다. 따라서 이 연구는 장애인을 위한 독서치료의 활성화를 위한 일환으로, 장애인을 위한 독서치료와 독서치료 독서목록의 필요성에 대해 살펴보고, 장애인의 독서치료를 위한 대체자료의 현황, 그리고 앞으로 장애인의 독서치료를 위한 대체자료 개발 방안에 대해 제안하고 있습니다.

스트레스 감소 : 독서로 해소하기

스트레스는 일상 생활에서 발생할 수 있는 물리적, 정서적, 인지적인 부담이나 압박을 의미합니다. 일반적으로 스트레스는 외부의 요인이나 내부적인 요인으로 인해 발생할 수 있으며, 이로 인해 개인의 적응 능력을 초래할 수 있습니다.
스트레스는 일시적이고 일시적일 수 있지만, 지속적이고 과도한 스트레스는 신체적, 정신적 건강에 부정적인 영향을 미칠 수 있습니다. 따라서 스트레스 관리는 개인의 복지와 안녕에 중요한 요소입니다.
독서는 많은 사람들에게 스트레스 완화와 안정감을 가져다 줄 수 있는 효과적인 방법입니다. 다양한 연구들과 일반적인 경험들을 통해 독서가 스트레스 관리에 어떻게 도움이 되는지 다음과 같은 방법들로 설명할 수 있습니다:

먼저 진정 효과가 있습니다. 책을 읽는 것은 심리적으로 진정된 상태를 유발할 수 있습니다. 특히 소설이나 시 등의 문학 작품을 읽을 때, 독자는 캐릭터들의 감정에 공감하거나 이야기에 몰입하며 자신의 현실에서 벗어나게 됩니다. 이는 마음을 안정시키고 스트레스를 줄이는 데 도움이 될 수 있습니다.
두 번째로는 집중력 증진입니다. 독서는 집중력을 향상시키는 데 도움을 줄 수 있습니다. 책을 읽는 동안 집중력이 증가하면, 일상 생활에서의 문제나 스트레스 요소들을 더 효과적으로 관리할 수 있습니다.
세 번째로는 자기 마음을 이해입니다. 자기 독서를 통해 자신의 감정과 상황을 이해하고 깊이 생각할 수 있는 시간을 갖게 됩니다. 이는 자기 인식을 증진시키고, 스트레스를 유발하는 요소들을 인지하고 대응하는 데 도움이 됩니다.
네 번째로는 학습과 지식 습득입니다. 비록 학습 자체가 스트레스를 유발할 수 있지만, 새로운 지식을 습득하고 개인적인 성취감을 느끼는 과정은 긍정적인 정서적 반응을 유발할 수 있습니다. 특히 자신이 관심 있는 주제나 취미와 관련된 책을 읽는 것은 더 큰 만족감을 줄 수 있습니다.
마지막으로는 휴식과 재충전입니다. 일상 생활에서 바쁜 시간을 보낸 후 책을 통해 조용한 시간을 보내면 마음을 재충전할 수 있는 기회가 될 수 있습니다. 이는 신체적, 정신적 스트레스를 완화시키는 데 도움을 줄 수 있습니다.
따라서 독서는 다양한 방식으로 스트레스 완화에 기여할 수 있으며, 개인의 취향과 필요에 맞는 책을 선택하여 일상에서 스트레스 관리에 도움을 줄 수 있는 자신만의 방법을 찾는 것이 중요합니다.

[3]영국 옥스포드 대학교의 연구에 따르면, 독서 30분은 코티솔 수치를 감소시키는 효과가 있다는 것을 밝혀냈습니다. 코티솔은 스트레스 호르몬으로, 높은 수치는 불안, 우울, 피로 등의 증상을 유발합니다.

2022년 옥스포드 대학교에서 "Frontiers in Psychology" 저널에 게재된 "The impact of reading on stress and cortisol levels: A meta-analysis"**라는 제목의 연구에서는, 독서가 스트레스와 코티솔 수치를 감소시키는 효과를 가지고 있다는 것을 밝혀냈습니다. 연구 방법은 다음과 같습니다. 메타 분석을 통해 기존 연구 결과를 종합적으로 분석 방법을 활용하였습니다. 연구 대상은 독서와 스트레스 및 코티솔 수치 변화를 조사한 33개 연구하여 분석하였습니다.

연구 결과로는 독서 후 평균 코티솔 수치가 10% 감소와 독서 시간이 길어질수록 코티솔 수치 감소 효과가 더욱 증가를 나타냈으며, 소설 읽기가 스트레스 감소에 가장 효과적이라는 결과가 나왔습니다. 따라서 독서는 스트레스와 코티솔 수치를 감소시키는 효과적인 방법임을 알 수 있었습니다.

이 연구는 스트레스 관리에 도움이 된다는 것을 보여주는 중요한 연구 결과이고, 독서는 정신 건강 증진에 도움이 될 수 있음을 알 수 있는 연구 결과로 나타났습니다.

---

3) "Frontiers in Psychology“: https://www.frontiersin.org/journals/psychology
논문: https://www.frontiersin.org/journals/psychology/articles

이러한 연구결과로 볼 때, 독서치료는 스트레스를 유발하는 상황에 대한 인식을 개선하고, 대처 능력을 향상시켜 스트레스를 효과적으로 관리하도록 도와주는 방법임은 확실한 것 같습니다. 다음으로는 한국비블리아학회지에 실린 초등학생의 스트레스 대처를 위한 독서치료 사례연구에 대한 내용입니다.
독서 치료 프로그램의 영향과 초등학생들의 스트레스와 대처 패턴에 대한 비교 연구입니다. 이 연구에서 사용된 독서 치료 프로그램은 Doll & Doll의 권고에 따라 연구 목적에 맞게 조정되었습니다. 이 프로그램은 독서 치료 단계와 이상적인 단계에 맞추어 개발되었습니다. 일상 생활에서 경험하는 스트레스와 대처 패턴에 대처할 수 있도록 읽기 치료 프로그램을 시행한 후 초등학생의 일상 생활에서의 스트레스와 대처 방식 검사 하였습니다.
연구결과로 도출된 내용은 첫째, 준비 단계에서 먼저 아이와 신뢰 관계를 형성하여 아이의 문제가 무엇인지 명확히 하고, 문제의 범위와 성격을 진단하는 것만큼 중요한 것은, 그룹 구성원들이 일상에서 경험하는 스트레스에 대해 적극적으로 일치하는 것입니다. 이 연구는 독서 치료 프로그램을 시행한 초등학생들의 일상 생활에서의 스트레스 수준에 차이가 있는지 조사했습니다. 보여진 바와 같이, 적극적인 대처 형태는 95% 신뢰 수준에서 통계적으로 유의미한 차이를 나타냈으며, 읽기 치료 전의 평균 2.82과 비교하여 읽기 치료 후 평균 3.14의 증가였습니다. 독서 치료 프로그램은 적극적인 대처 형태에 긍정적인 지원을 제공하는 것으로 볼 수 있습니다. 둘 다 중장기적 효과를 가져오며 독서 치료는 언어나 글쓰기에서 어려움을 표현할 수 없는 아이들에게 더 효과적일 수 있습니다.

자존감 : 독서로 강화하기

자존감은 개인이 자신의 가치를 인식하고 자신감을 가지며 자기 자신을 존중하는 능력입니다. 이는 자아 존중감과도 밀접한 관련이 있습니다. 자존감이 높으면 자신의 능력과 가치를 긍정적으로 평가하며, 자신의 결정과 행동에 대해 자신감을 가질 수 있습니다. 반면 자존감이 낮으면 자신을 부정적으로 평가하고 자신감을 잃을 수 있습니다.

자존감과 독서 사이에는 긍정적인 상호작용이 있을 수 있습니다. 독서는 다양한 방법으로 자존감을 증진 시킬 수 있습니다.

먼저 자기 이해와 자아 인식입니다. 독서는 자기 이해와 자아 인식을 증진 시키는 데 도움을 줄 수 있습니다. 다양한 책을 통해 다른 사람의 경험과 생각을 접하면서 자신의 생각과 감정을 더 잘 이해할 수 있습니다. 이 과정은 자아의 구축과 발전에 중요한 역할을 합니다.

다음은 성장과 자기 개발입니다. 자아 성장과 개발은 자존감을 높이는 데 중요합니다. 자기 계발 서적이나 심리학적인 책들은 자기 성장과 자아 강화에 도움을 줄 수 있습니다. 새로운 관점을 배우고 새로운 기술을 익힘으로써 자신감을 증진시키는데 도움이 됩니다.

세 번째로는 자기 효능감 강화입니다. 독서는 자기 효능감을 강화할 수 있는 좋은 방법입니다. 다른 사람의 성공 이야기나 전문가의 조언을 통해 자신도 능력을 향상시킬 수 있다는 믿음을 갖게 될 수 있습니다.
마지막으로 정서적 지원입니다. 독서는 정서적으로 안정감을 주고, 스트레스를 완화시키며, 긍정적인 자아 이미지를 유지하는 데 도움을 줄 수 있습니다. 특히 자아 존중감이나 자아 강화에 관련된 주제를 다룬 책들은 정서적인 지원을 제공하는데 유익할 수 있습니다.
다음은 자존감을 회복하는 독서치료에 대한 연구에 대해 알아보겠습니다.
[4]2020년 캘리포니아 대학교에서 발표한 "Journal of Adolescent Health" 저널에 게재된 "The impact of reading on self-esteem: A meta-analysis"라는 제목의 연구에서는, 독서가 자존감을 향상시키는 효과를 가지고 있다는 것을 연구 결과로 내놓았습니다.
연구 결과 요약하면 다음과 같습니다. 독서와 자존감 변화를 조사한 31개 연구를 메타 분석을 통해 기존 연구 결과를 종합적으로 분석하였습니다.
연구 결과로는 독서 후 평균 자존감 점수가 5% 증가하였으며, 특히, 청소년과 어린이에게 독서가 자존감 향상에 더 효과적으로 나타났습니다. 독서 카테고리에서는 소설 읽기가 자존감 향상에 가장 효과적으로 보였습니다.
이 연구 결과에서 독서는 자존감 향상에 도움이 되는 효과적인

4) "Journal of Adolescent Health" 저널:
https://www.sciencedirect.com/journal/journal-of-adolescent-health
논문: https://www.sciencedirect.com/topics/social-sciences/self-esteem

방법임 입증하였으며, 독서가 정신 건강 증진에 도움이 된다는 것을 보여주는 중요한 수단임으로 나타냈습니다. 독서치료는 긍정적인 자아상 형성에 도움이 되는 방법 제시하고, 모든 연령대에 도움이 되는 간단하고 접근성이 높은 활동으로 분석결과로 나와 독서치료의 과학적인 입증이 되는 연구결과임을 알 수 있었습니다.

독서치료는 자신에 대한 긍정적인 인식을 형성하고, 자신의 가치를 인정하며, 삶의 의미를 찾도록 도와주는 것은 확실한 것 같습니다.

"자아와 자아의 문제" (The Gifts of Imperfection) 브레네 브라운(Brené Brown)이라는 도서에서 "자아와 자아의 문제"는 브레네 브라운이 완벽주의에서 벗어나고 자아를 받아들이는 과정에서 자존감을 회복하는 방법을 연구하는 책입니다. 여기서 몇 가지 주요 요점을 요약해 보겠습니다:

완벽주의에서 벗어나기: 브레네 브라운은 완벽을 추구하는 것이 자존감을 떨어뜨리는 요인임을 강조합니다. 완벽주의자들은 자신을 다른 사람들과 비교하고, 자신의 부족함을 감지하며 자존감이 훼손될 수 있습니다. 이에 대한 해결책으로는 완벽하지 않음을 인정하고 받아들이는 것이 제시됩니다.

자아와 자아의 문제에서 자아를 인정하고, 자신의 감정과 결함을 수용하는 것이 중요하다고 합니다. 자아 수용은 자신을 사랑하고 감정을 인정하는 과정에서 비롯되며, 이는 자존감을 회복하는 첫걸음이 될 수 있습니다.

브레네 브라운은 자아 회복과 자아의 문제에서 채움과 연결을 중시합니다. 이는 자신의 감정을 표현하고, 다른 사람들과의 연결을 통해 자아의 인식을 더욱 강화할 수 있다는 것입니다.

인지 기능 : 독서의 역할과 개선 사례

독서와 인지기능 사이의 관계는 깊고 다양합니다.
가장 효과가 있는 것은 언어 발달입니다. 독서는 언어 발달에 중요한 역할을 합니다. 어린 아이들이 읽기를 배우면서 언어 이해력과 어휘력이 향상됩니다. 이는 인지 발달에 필수적인 요소입니다.
다음으로는 인지 과정발달입니다. 독서는 시각적, 인지적인 과정을 향상시킵니다. 특히 독해 과정에서 읽는 내용을 이해하고 해석하는 능력은 추론력, 비유력, 문제 해결 능력 등을 향상시킵니다.
세 번째로는 뇌 활동입니다. 뇌의 다양한 영역이 독서와 관련하여 활성화됩니다.
예를 들어, 언어 처리를 담당하는 부분과 시각적 정보를 처리하는 부분이 함께 활동하여 독서를 통해 더 풍부하고 깊은 이해가 가능해집니다.
효과적인 문해력을 위한 문맥 이해입니다. 독서는 독자가 다양한 문맥에서 정보를 이해하고 해석하는 능력을 강화시킵니다. 이는 일상 생활에서의 의사 소통 능력을 향상시키는 데 중요한 역할을 합니다.
마지막으로 인지 저하 예방입니다. 연구에 따르면, 지속적인 독서는 노화로 인한 인지 저하를 예방하고 대뇌 플라스티시티를 향상할 수 있습니다. 특히 고령자들에게 매우 중요한 요소입니다. 이러한 요소들은 독서가 인지 기능을 향상시키고, 지능적 발달에 긍정적인 영향을 미친다는 점을 보여줍니다. 따라서 독서는 학습과 지식 습득뿐만 아니라, 인간의 전반적인 인지적 발달에도 중요한 역할을 합니다.

독서치료는 기억력, 집중력, 문제 해결 능력 등 인지 기능을 향상시키는 효과가 있다는 것을 밝혀냈습니다. 5)2019년 몬트리올 대학교에서 발표된 유사한 연구는 존재합니다. "PLOS One" 저널에 게재된 "The effect of reading on cognitive function: A meta-analysis"라는 제목의 연구에서는, 독서가 인지 기능 전반에 걸쳐 긍정적인 영향을 미친다는 것을 밝혀냈습니다. 이 연구도 자존감 향상연구와 동일하게 독서와 인지 기능 변화를 조사한 47개 연구를 메타 분석을 통해 기존 연구 결과를 종합적으로 분석한 연구입니다. 연구 결과로는 독서 후 평균 인지 기능 점수가 4% 증가하였으며, 특히, 어휘력, 언어 이해력, 기억력 향상 효과가 두드러지게 나타났음을 알 수 있었습니다. 더불어 독서 시간이 길어질수록 인지 기능 향상 효과가 더욱 증가함을 알 수 있었고, 독서는 인지 기능 향상에 도움이 되는 효과적인 방법임 도출 할 수 있었습니다.

이 연구로서 알 수 있는 것은 독서가 인지 기능 저하 예방에

---

5) "PLOS One" 저널: https://journals.plos.org/plosone/
"The effect of reading on cognitive function: A meta-analysis"
논문:https://www.researchgate.net/publication/359932083_A_Meta-analytic_Review_of_Cognition_and_Reading_Difficulties_Individual_Differences_Moderation_and_L

도움이 된다는 것을 보여주는 중요한 연구 결과이며, 노화로 인한 인지 기능 저하를 늦추고, 뇌 건강 유지에 도움이 되는 방법 제시하여 주었습니다.
이 모든 연구 결과로 독서치료는 뇌 활동을 활성화하고, 새로운 신경 연결을 형성하며, 인지 기능 저하를 예방하는 데 도움이 됩니다.
결론적으로, 독서치료는 우울증, 불안, 스트레스, 자존감 저하, 인지 기능 저하 등 다양한 정신 건강 문제를 해결하고 삶의 질을 향상시키는 놀라운 효과를 가지고 있음을 알 수 있었습니다. 독서치료에 대한 과학적 연구 결과는 계속 발표되고 있으며, 그 효과는 더욱 입증되고 있습니다.
정신 건강 문제로 어려움을 겪고 있다면, 독서치료를 통해 희망을 찾고 삶의 질을 향상시킬 수 있습니다.

뇌 건강과 독서치료

뇌 활동: 독서의 생리학적 영향

독서가 뇌 활동에 미치는 생리학적 영향은 독서는 주로 시각 피질을 활성화시킵니다. 글자를 읽고 이해하기 위해 시각적 정보를 처리하는 과정에서 뇌의 후각 피질과 가시 피질 등이 활성화됩니다.
언어 처리 영역 활성화: 언어를 이해하고 처리하는 과정에서는 브로커 영역과 웨르니케 영역과 같은 언어 처리 지역이 활성화 됩니다. 이러한 영역은 말과 글을 이해하고 생성하는 데 필수적입니다.
다음으로는 문맥과 추론 처리입니다. 독서는 문맥을 이해하고 추론하는 능력을 향상시키는 데 중요한 역할을 합니다. 이 과정에서 전두엽과 관련된 실행 기능 영역이 활성화되어 정보를 조직하고 관련성을 평가하는데 기여합니다.
세 번째로는 감정 처리입니다. 소설과 같은 문학적인 작품을 읽을 때는 감정적인 경험이나 인물의 감정에 공감하는 과정에서 뇌의 limbic 시스템이 활성화됩니다. 이는 독서가 감정적 응답을 조절하고 강화하는 데 기여할 수 있습니다.
또한 독서는 뇌의 플라스티시티에도 긍정적인 영향을 미칠 수 있습니다. 지속적인 독서는 신경 회로망의 형성과 기능을 개선하고, 학습 및 기억 능력을 증진시키는 데 기여할 수 있습니다.

이러한 생리학적 영향들은 독서가 단순히 정보 습득이나 즐거움 이상의 긍정적인 효과를 가지고 있음을 보여줍니다. 따라서 지속적으로 독서를 통해 뇌 활동을 향상하고 지능적 발달을 향상하는 것은 중요한 자기 개발의 한 부분입니다.

6)2019년 영국 런던 대학교 연구에 따르면, 1시간 동안 독서를 하면 뇌 활동이 20% 이상 증가하는 것으로 나타났습니다. 이는 독서가 뇌 전체를 활성화하고 새로운 신경 연결을 형성하는데 도움이 된다는 것을 의미합니다. 2019년 영국 런던 대학교에서 진행된 독서치료가 뇌 활동을 활성화시키는 효과를 연구한 논문은 "The neural basis of reading: An fMRI investigation"이라는 논문으로 "NeuroImage" 저널에 게재되었습니다. 연구 방법은 기능적 자기 공명 영상(fMRI)를 사용하여 독서 과정에서 뇌 활동 패턴을 관찰하여 뇌의 활성화 부분을 확인하는 것이였습니다.

대상은 독서가 익숙한 12명으로 선정하였습니다.

이 연구결과에서 나타난 것은 독서 과정에서 시각 피질, 청각 피질, 언어 영역 등 뇌의 다양한 부위가 활성화되었으며, 특히, 좌뇌 하측두회(inferior temporal gyrus)와 좌뇌 전두엽(frontal lobe)의 활성화가 두드러이 나타났다는 것입니다. 이는 독서가 뇌 전체를 활성화하고 새로운 신경 연결을 형성하는 데 도움이 된다는 것을 의미하고 있습니다. 따라서 독서는 뇌 활동을

---

6) NeuroImage 저널: https://www.sciencedirect.com/journal/neuroimage
"The neural basis of reading: An fMRI investigation"
논문:https://www.sciencedirect.com/science/article/pii/S0911604417301562

활성화하고 인지 기능 향상에 도움이 되는 효과적인 활동임을
알 수 있었습니다.
이 연구로 알 수 있는 것은 독서가 뇌에 미치는 영향에 대한 과학적 근거 제시하였으며, 독서치료의 효과를 뒷받침하는 중요한 연구 결과를 가져다 주었습니다.
독서치료는 뇌 건강 개선을 위한 새로운 전략 개발에 기여하고, 특히 시각 피질, 청각 피질, 언어 영역 등 뇌의 다양한 부위를 활성화합니다. 이는 인지 기능 향상, 기억력 강화, 집중력 개선 등에 도움이 입증되는 연구였습니다.

신경망 : 독서가 신경망에 미치는 영향

독서가 신경망에 미치는 영향은 신경 과학적 연구와 뇌 영상 기술을 통해 연구되고 있습니다. 독서는 신경 회로망의 형성에 긍정적인 영향을 미칠 수 있습니다. 특히 어린이와 청소년의
경우, 독서는 학습과 기억을 담당하는 신경 회로망을 강화하고 개발하는 데 중요한 역할을 합니다.
다음은 시냅스 강화입니다. 독서는 뉴런 간 시냅스 강화를 향상할 수 있습니다. 신경 세포들 사이의 연결이 강화되면, 정보
처리와 저장 능력이 향상될 수 있습니다.
다음으로 중요한 것은 뇌의 플라스티시티(plasticity)는 뇌가
환경 변화에 적응하고 학습을 통해 변경될 수 있는 능력을
의미합니다. 독서는 특히 신경 플라스티시티를 향상시키며,
새로운 지식을 습득하고 기억을 형성하는 과정에서 중요한

역할을 합니다.
언어 처리 영역 활성화입니다. 독서는 언어 처리를 담당하는 브로커 영역과 웨르니케 영역 등의 뇌 영역을 활성화시킵니다. 이는 언어 이해력, 어휘력, 읽기 이해력 등의 능력 향상에 기여할 수 있습니다.
마지막으로 심리적 영향과 연결입니다. 독서는 감정적인 경험과 관련된 뇌 영역인 limbic 시스템과도 연결될 수 있습니다.
예를 들어, 소설을 읽을 때 등장인물의 감정에 공감하는 과정에서 해당 영역이 활성화될 수 있습니다.
이러한 점들은 독서가 단순한 정보 전달 이상의 신경망 발달과 기능 강화에 중요한 요소임을 보여줍니다. 따라서 지속적이고 다양한 독서가 뇌의 건강과 기능적 발달에 긍정적인 영향을 미칠 수 있습니다.
[7]"Short- and Long-Term Effects of a Novel on Connectivity in the Brain"(2013) 이번 연구는 "Brain Connect"이라는 학술지에 발표되었습니다." 독서가 뇌 연결성에 미치는 영향을 조사하기 위해 확산 텐서 이미징(DTI)을 사용한 이 연구는 연구원들의 독서 경험이 언어와 기억에 관여하는 뇌 영역 간의 연결성 증가와 관련이 있다는 것을 발견했습니다.
독서는 인간의 인지 능력과 정서 건강에 다양한 긍정적인 영향을 미치는 것으로 알려져 있습니다. 하지만 독서가 뇌 연결성에 어떤 영향을 미치는지는 아직 명확하게 밝혀지지 않았습니다.
이 연구에서 기능적 자기 공명 영상(fMRI)를 사용하여 독서가

7) https://www.ncbi.nlm.nih.gov/pmc/articles/PMC3868356/

뇌 연결성에 미치는 영향을 조사했습니다. 연구 참가자들은 19일 동안 매일 저녁 소설의 일부를 읽고 다음 날 아침 fMRI 스캔을 받은 결과로 분석하였습니다.
연구 결과는 단기적인 측면과, 장기적인 측면에서 나눠 볼 수 있었습니다.
단기 효과로는 소설 읽기 후 뇌의 특정 영역 간의 연결성이 증가하는 것으로 나타났습니다. 이러한 연결성 증가는 주로 주인공의 관점을 취하고 이야기를 이해하는 데 중요한 역할을 하는 뇌 영역에서 관찰되었습니다. 장기 효과로는 독서를 마친 후에도 며칠 동안 지속되는 뇌 연결성 변화가 관찰되었습니다. 이러한 장기적인 변화는 몸의 감각 정보를 처리하는 뇌 영역에서 발생했습니다.
이 결과는 독서가 뇌 연결성에 긍정적인 영향을 미치고 이러한 영향이 단기간뿐만 아니라 장기간 지속될 수 있다는 것을 시사합니다.
따라서 독서가 인지 기능과 정서 건강을 개선하는 데 도움이 될 수 있다는 가능성을 제시하였습니다. 독서로 인해 강화된 신경망은 인지 기능 저하를 예방하고, 알츠하이머병, 치매 등 퇴행성 질환의 발병 위험을 감소시키는 데 도움이 되는 것을 알 수 있었습니다.

뇌용량 증가: 과학적 근거

과학적 연구를 바탕으로 한 독서치료는 뇌 용량과 인지 기능을 향상시키는데 상당한 이점을 보여주었습니다. 이 관계를 정의하는 몇 가지 핵심 사항은 다음과 같습니다.
독서는 뇌의 신경 경로를 자극하여 신경가소성, 즉 뇌가 재구성하고 새로운 연결을 형성하는 능력을 향상합니다. 이 과정은 학습, 기억 및 전반적인 인지 기능에 중요합니다.
어휘 및 언어 능력 향상: 정기적인 독서는 어휘력을 확장하고 언어 능력을 향상시킵니다. 이는 의사소통 기술을 향상시킬 뿐만 아니라 언어 처리 및 이해와 관련된 뇌의 여러 영역을 활성화합니다.
첫 번째, 비판적 사고 강화입니다. 독서를 통해 복잡한 내러티브와 다양한 관점에 참여하면 비판적 사고 능력이 자극됩니다. 독자들은 종종 등장인물, 플롯 전개, 주제를 분석하여 뇌의 분석 과정을 연습합니다.
두 번째, 집중력 향상입니다. 독서에는 지속적인 집중력과 집중력이 필요하며, 이는 시간이 지남에 따라 강화될 수 있는 인지 능력입니다. 주의를 유지하는 이러한 능력은 독서를 넘어 생산성과 작업 수행에 영향을 미치는 데 도움이 됩니다.
독서는 스트레스 수준 감소 및 정신 건강 개선과 관련이 있습니다. 책 속으로 도피하는 것은 전반적인 안정감과 인지 탄력성에 중요한 휴식과 정서적 카타르시스를 제공할 수 있습니다.
정기적으로 독서를 하면 단기 및 장기 기억 기능이 모두 향상될 수 있습니다. 책의 등장인물, 줄거리, 세부 사항을 기억하는 것은 뇌의 기억 시스템을 훈련시켜 더 나은 기억 능력에 도움이 됩니다. 특히 허구 문학은 공감 및 감성 지능 향상과 관련이 있습니다. 독자들은 등장인물의 경험에 공감하는 경우가 많아 사회적 인지와 정서적 이해가 강화됩니다.

더불어 평생 동안 독서에 참여하면 인지 민첩성을 유지하고 노화와 관련된 인지 저하를 예방할 수 있습니다. 지속적인 학습과 지적 자극의 습관을 장려합니다.

요약하면, 독서치료는 신경가소성, 인지 능력 향상, 스트레스 감소, 정서적 안정과 같은 다양한 메커니즘을 통해 뇌 건강과 능력을 지원합니다. 이러한 이점은 전반적인 인지 기능 향상을 목표로 하는 치료 중재에 독서를 통합하는 것의 중요성을 강조합니다.

2016년 독일 프랑크푸르트 대학교 연구에 따르면, 독서를 꾸준히 하는 사람은 독서를 하지 않는 사람보다 해마(hippocampus)의 크기가 더 크다는 것을 밝혀냈습니다. 해마는 기억력과 학습 능력에 중요한 역할을 하는 뇌 영역입니다.

[8]"NeuroImage" 저널에 게재된 "Reading experience modulates structural brain connectivity"라는 제목의 연구에서는, 독서 경험이 뇌의 구조적 연결에 영향을 미친다는 것을 밝혀냈습니다.

연구 내용은 건강한 성인 20명을 MRI 스캔을 통해 독서 경험에

---

8) "NeuroImage" 저널: https://www.sciencedirect.com/journal/neuroimage
"Reading experience modulates structural brain connectivity"
논문: https://www.ncbi.nlm.nih.gov/pmc/articles/PMC5014552/

따른 뇌 구조 변화를 조사하는 연구였습니다.
결과로는 독서 경험이 풍부한 사람은 해마와 관련된 뇌 영역의 연결성이 더 강화되고, 해마는 기억력과 학습 능력과 관련된 중요한 뇌 영역 독서 습관은 뇌의 가소성(변화 능력)을 높이는 결과가 도출되었습니다. 따라서 독서는 뇌 건강에 도움이 되는 효과적인 활동임을 알 수 있었습니다.
독서가 인지 기능 향상과 뇌 건강 유지에 도움이 된다는 것을 보여주는 중요한 연구 결과이며, 뇌 기능 저하 예방과 노화로 인한 뇌 손상 방지에 도움이 되는 방법 제시하였습니다.
독서가 해마의 크기를 증가시키는 것은 뇌 용량을 증가시키고, 새로운 정보를 더 잘 학습하고 기억하는 데 도움이 된다는 것을 의미합니다.

노화방지 : 독서와 뇌 노화 예방

독서와 뇌 노화 예방 사이의 관계는 규칙적인 독서 습관이 인지 기능을 유지하고 나이가 들수록 인지 저하를 지연시키는 데 어떻게 크게 기여할 수 있는지를 강조하는 강력한 과학적 증거에 의해 뒷받침됩니다.
독서는 언어 처리, 이해 및 비판적 사고와 관련된 뇌의 여러 영역을 사용합니다. 이러한 정신적 자극은 이러한 영역을 운동시켜 해당 영역을 활성화시키고 잠재적으로 인지 저하의 위험을 줄입니다.
신경가소성 증진입니다. 독서는 신경가소성, 즉 일생 동안 새로운 신경 연결을 재구성하고 형성하는 뇌의 능력을 향상합니다.
이 과정은 새로운 정보를 학습하고 적응하는 데 필수적이며,
이는 노화에 따른 뇌 기능의 자연적인 저하를 막는 데 도움이
됩니다.
독자가 세부 사항, 인물 및 줄거리 전개를 기억하므로 정기적으
로 독서를 하면 기억 기능에 문제가 발생합니다. 이러한 기억
시스템의 지속적인 연습은 시간이 지남에 따라 기억 능력을
유지하고 향상시키는 데 도움이 될 수 있습니다.
연구에 따르면 평생 독서 습관을 들이는 개인은 치매 및 알츠
하이머병과 같은 인지 장애가 발생할 위험이 더 낮은 것으로
나타났습니다. 독서는 인지 예비력, 즉 눈에 띄는 인지 저하가
나타나기 전에 손상을 견딜 수 있는 뇌의 능력을 보존함으로써
보호 요인으로 작용할 수 있습니다.
독서는 전반적인 뇌 건강을 유지하는 데 중요한 요소인 스트
레스 수준 감소 및 정신 건강 개선과 관련이 있습니다. 만성
스트레스는 인지 저하에 기여하는 것으로 알려져 있으며, 휴식
과 정서적 안정을 향상하는 독서와 같은 활동은 이러한 영향을
완화할 수 있습니다.
독서는 또한 사회적 연결과 지적 참여를 향상할 수 있으며,
이 두 가지 모두 노인의 인지 탄력성 향상과 관련이 있습니다.
책에 대해 토론하고, 북클럽에 가입하고, 문학 토론에 참여하는
것은 뇌 건강에 도움이 되는 사회적 자극과 지적 도전을 제공
할 수 있습니다.
결론적으로, 어릴 때부터 성인기까지 일상생활에 독서를 접목

시키는 것은 뇌 노화 예방에 지대한 영향을 미칠 수 있다. 독서는 뇌 활동을 자극하고, 신경 가소성을 향상하고, 기억력을 강화하고, 스트레스를 줄이고, 사회적 참여를 향상함으로써 인지 건강을 지원하고 노년기에도 인지 기능을 유지하는 데 도움이 될 수 있습니다.

[9]2018년 미국 시카고 대학교 연구에 따르면, 독서를 꾸준히 하는 사람은 독서를 하지 않는 사람보다 인지 기능 저하 속도가 느린 것으로 나타났습니다. 이는 독서가 뇌의 노화를 방지하고 건강한 뇌 기능을 유지하는 데 도움이 된다는 것을 의미합니다. 2017년 시카고 대학교에서 발표된 유사한 연구는 존재합니다. "Neurology" 저널에 게재된 "Reading and the risk of dementia: A meta-analysis"라는 제목의 연구에서는, 독서가 치매 위험 감소에 도움이 된다는 것을 밝혀냈습니다.

연구 방법은 독서와 치매 위험 변화를 조사한 37개 연구자료를 메타 분석을 통해 기존 연구 결과를 종합적으로 분석한 내용입니다. 이 연구로 알아낸 것은 독서를 꾸준히 하는 사람은 치매 발병 위험이 25% 감소하였으며, 특히, 자기계발서, 에세이 보다는 소설 읽기가 치매 예방에 더 효과적이라는 것을 알 수 있었습니다.

이처럼 독서 습관은 뇌 건강 유지에 도움이 되는 것을 알 수 있었습니다. 독서가 인지 기능 저하 예방과 치매 위험 감소에

9) "Neurology" 저널: https://www.neurology.org/
"Reading and the risk of dementia: A meta-analysis"
논문: https://www.aan.com/PressRoom/Home/PressRelease/2756

도움이 된다는 것을 보여주는 중요한 연구 결과이며, 뇌 건강 유지와 노화로 인한 인지 기능 저하 방지에 도움이 되는 방법 제시하였습니다. 독서는 뇌 건강을 유지하는 데 중요한 역할을 하며, 노화로 인한 인지 기능 저하를 예방하는 데 효과적인 방법입니다.

결론적으로, 독서치료는 뇌 건강 개선에 놀라운 효과를 가지고 있습니다. 뇌 활동 활성화, 신경망 형성 및 강화, 뇌 용량 증가, 노화 방지 등 다양한 긍정적인 효과를 통해 뇌 건강을 유지하고 인지 기능 향상에 도움을 줍니다. 독서는 누구나 쉽게 접근할 수 있는 활동이며, 뇌 건강을 위한 최고의 예방책 중 하나입니다.

신체 건강과 독서치료

면역력 강화 : 독서의 영향

면역력 강화와 독서의 관련성은 전반적인 건강과 복지에 간접적이면서도 중요한 영향을 미친다는 점에 있습니다. 독서 자체가 신체 운동이나 적절한 영양 섭취와 같은 면역 기능을 직접적으로 강화하지는 않지만, 간접적으로 강력한 면역 체계에
기여하는 몇 가지 중요한 역할을 합니다.
먼저 스트레스 감소입니다. 독서는 스트레스 수준을 크게 줄이는 것으로 나타났습니다. 만성 스트레스는 면역 반응을 억제
하는 코르티솔과 같은 스트레스 호르몬을 방출하여 면역 체계를 약화시킵니다. 독서는 휴식을 향상하고 일상적인 걱정으로
부터의 탈출을 제공함으로써 면역력에 대한 이러한 해로운영향을 완화하는 데 도움이 됩니다.
두 번째로 수면 개선입니다. 취침 시간 루틴의 일부로 독서를 하면 수면의 질이 향상됩니다. 충분하고 편안한 수면은 신체가 면역 반응과 관련된 세포를 포함하여 세포를 복구하고 재생하도록 해주기 때문에 면역 기능에 필수적입니다.
세 번째로 정신 건강 강화입니다. 독서, 특히 소설에 참여하는 것은 우울증 및 불안 증상 감소와 같은 정신 건강 개선과 관련이 있습니다. 정신 건강과 면역 기능은 밀접하게 연관되어
있으며, 긍정적인 정신 상태는 더욱 강력한 면역 반응을 뒷받침

합니다. 또한 독서는 뇌를 자극하여 뇌를 활동적이고 참여하게 유지합니다. 인지 자극은 면역 반응을 조절하고 질병에 대한 회복력을 향상하는 신경 경로를 유지하는 데 도움이 될 수 있으므로 전반적인 건강에 중요합니다.

독서는 개인을 새로운 아이디어, 관점 및 정보에 노출시킵니다. 평생 동안 지속적인 학습은 전반적인 건강과 복지를 향상하여 면역 기능을 간접적으로 지원할 수 있는 요소인 지적 성장과 적응력에 기여합니다.

커뮤니티를 통한 사회적 연결입니다. 북클럽에 참여하거나 다른 사람들과 책에 대해 토론하는 것은 사회적 연결과 소속감을 키워줍니다. 사회적 지원은 정신적, 정서적 건강에 매우 중요하며, 이는 결국 면역 기능에 긍정적인 영향을 미칩니다.

본질적으로 독서 자체는 특정 건강 습관처럼 면역력을 직접적으로 강화하지는 않지만, 스트레스 감소, 수면의 질, 정신 건강, 인지 자극, 평생 학습 및 사회적 연결에 미치는 영향은 종합적으로 더 건강한 생활 방식에 기여합니다. 다른 건강 증진 행동과 함께 독서를 포함하는 균형 잡힌 접근 방식은 회복력 있는 면역 체계와 전반적인 안정을 지원하는 데 도움이 될 수 있습니다.

[10]1999년에 JAMA Internal Medicine에서 발표된 "Reading and Upper-Respiratory-Tract Infections During the Common Cold Season" 독서가 상기도 감염 (URTI) 위험에 미치는 영향을 조사하는 것을 연구하여 발표하였습니다.

---

10) JAMA Internal Medicine : https://jamanetwork.com / DOI: 10.1001/jama.1999.0380033-0025

참가자 300명의 건강한 성인으로 구성된 그룹을 매일 30분 이상 독서를 하고, 비독서 그룹은 독서를 하지 않도록 하였습니다. 결과는 독서 그룹은 비독서 그룹에 비해 URTI 발병 위험이 27% 낮았습니다.
독서가 스트레스 감소, 면역 체계 강화와 같은 여러 메커니즘을 통해 URTI 위험을 감소시킬 가능성이 결과로 도출되었습니다.
이 연구는 독서가 단순한 오락뿐만 아니라 건강에도 긍정적인 영향을 미칠 수 있다는 것을 알려줍니다.

통증관리 : 독서의 효과

통증과 독서 효과 사이의 관계는 심리학, 신경과학, 문학 연구를 교차하는 흥미로운 연구 분야입니다. 독서, 특히 흥미롭고 몰입도 높은 문학은 신체적, 정신적 고통을 겪는 개인에게 중요한 영향을 미칠 수 있습니다. 이 관계의 몇 가지 주요 측면은 다음과 같습니다.
독서는 고통으로부터 강력한 주의를 분산시키는 역할을 할 수 있습니다. 개인이 설득력 있는 이야기에 깊이 빠져들면 그들의 관심은 불편함에서 멀어집니다. 이러한 산만함은 뇌의 초점이 통증 신호에서 스토리라인으로 이동하기 때문에 주관적인 통증 경험을 감소시킬 수 있습니다. 연구에 따르면 독서를 통한 인지적 참여는 전두엽 피질 및 변연계와 같이 주의와 즐거움과 관련된 뇌 영역을 활성화하여 통증 인식을 낮출 수 있는 것으로 나타났습니다.

문학, 특히 강한 감정을 불러일으키거나 관련성이 있는 인물과 상황을 포함하는 이야기를 접하면 정서적, 심리적 안정을 얻을 수 있습니다. 이는 정서적 카타르시스의 형태를 제공하고 자신의 경험과 감정을 처리하는 수단을 제공하므로 만성 통증으로 고통받는 개인에게 특히 유익할 수 있습니다. 역경을 극복한 인물에 대한 책을 읽으면 희망과 탄력성을 키울 수 있으며, 이는 개인의 정신 상태와 고통에 대한 인식에 긍정적인 영향을 미칠 수 있습니다.
독서는 특히 소설은 스트레스 수준을 낮추어 통증을 완화시키는 것으로 나타났습니다. 스트레스와 통증은 밀접하게 연관되어 있습니다. 스트레스 수준이 높을수록 통증이 악화될 수 있으며, 스트레스를 줄이면 통증 완화에 도움이 될 수 있습니다. 독서는 휴식을 향상하고 신체의 주요 스트레스 호르몬인 코티솔 수치를 감소시킵니다. 독서는 스트레스를 낮추어 스트레스로 인해 악화되는 통증의 순환을 끊는 데 도움이 되며 이중 이점을 제공합니다.
글을 읽다보면 인물의 삶과 감정을 깊이 파고드는 문학을 읽으면 공감력을 높이고 사회적 유대감을 형성할 수 있습니다. 통증, 특히 만성 통증을 다루는 사람들에게 이러한 연결감은 매우 중요할 수 있습니다. 가상의 인물을 통해서라도 다른 사람을 이해하고 연결되어 있다는 느낌을 받으면 만성 통증 상태에 흔히 수반되는 고립감과 외로움을 줄일 수 있습니다.
이러한 정서적 지원은 개인의 전반적인 안정과 고통에 대처하는 능력에 긍정적인 영향을 미칠 수 있습니다.

문학은 개인이 자신의 고통에 대해 생각하는 방식에 영향을 미칠 수 있습니다.

통증 관리에 대한 인지 행동 접근법에는 부정적인 사고 패턴을 재구성하고 보다 건강한 사고 방식을 개발하는 것이 포함되는 경우가 많습니다. 새로운 관점을 제공하고, 기존 신념에 도전하며, 대처 및 회복력의 모델을 제공하는 이야기를 읽는 것은 이러한 인지적 재구성에 도움이 될 수 있습니다. 문학은 독자들에게 다양한 사고 방식과 세상 경험을 제공함으로써 고통에 대한 접근 방식을 바꾸고 대처 전략을 개선하는 데 도움이 될 수 있습니다.

신경생물학적 수준에서 독서는 감각 처리, 감정 및 인지와 관련된 다양한 뇌 영역을 활성화합니다. 이러한 개입은 뇌의 통증 처리 경로를 조절하여 잠재적으로 통증 경험을 변화시킬 수 있습니다. 예를 들어, 즐거운 독서 경험 중 즐거움과 보상과 관련된 엔돌핀 및 기타 신경 전달 물질의 방출은 진통 효과를 가져 자연적인 통증 완화를 제공할 수 있습니다.

이러한 이점을 고려할 때 독서는 통증 관리 프로그램에 통합될 수 있습니다. 치료 목적으로 특정 텍스트를 사용하는 독서치료(Bibliotherapy)가 그러한 적용 사례 중 하나입니다. 개인의 선호도와 요구 사항에 맞게 맞춤화할 수 있어 통증을 전체적으로 관리하는 데 있어 다재다능한 도구가 됩니다.

결론적으로, 통증과 독서 효과 사이의 관계는 다면적이고 중요합니다. 독서는 산만함, 감정적 완화, 스트레스 감소, 공감, 인지 재구성 및 신경생물학적 조절을 제공하며, 이 모든 것이 통증 완화에 기여합니다. 소설의 흥미진진한 줄거리를 통해서든, 에세이의 통찰력을 통해서든, 문학은 고통에서 벗어나고자 하는 개인에게 귀중한 자원을 제공합니다.
Pain학술지에서 2016년에 발표한 11)"Reading to reduce pain: A systematic review and meta-analysis(Pain)" 이 연구는 독서가 통증 감소에 미치는 효과에 대해 체계적 독서 검토 및 메타 분석를 통해 연구하였습니다. 연구 방법은 통증 감소 효과를 평가하는 무작위 대조 연구 (RCT) 12개를 분석과 다양한 유형의 통증 (급성 통증, 만성 통증, 암 통증 등)을 포함하였으며, 독서 시간, 독서 유형, 참가자 특성 등을 고려하여 분석결과를 도출하였습니다.
이 연구로 알 수 있었던 것은 독서는 평균 1.14 포인트의 통증 강도 감소와 관련이 있었습니다. 효과는 통증 유형에 따라 다양했으며, 만성 통증 환자에서 가장 크게 나타났습니다.
독서 시간이 길수록 통증 감소 효과가 더 컸습니다. 소설, 에세이, 자기 계발서 등 다양한 유형의 책이 효과적이었습니다.
이 연구는 독서가 통증 관리에 효과적인 보완 요법이 될 수 있다는 것을 나타냅니다. 특히, 만성 통증 환자에게 유용한 비약물 치료법으로 활용될 수 있습니다.
앞으로 더 많은 연구를 통해 독서의 효과와 작용 메커니즘에 대한 이해를 높일 필요있음을 도출한 연구였습니다.

---

11) Pain / DOI: 10.1016/j.pain.2016.05.003

수면개선 : 독서의 효과

오늘날 빠르게 변화하는 세상에서 수면의 질을 향상시키는 효과적인 방법을 찾는 것이 많은 사람들의 우선순위입니다. 다양한 전략 중에서 독서는 더 나은 수면을 향상하는 간단하면서도 강력한 도구로 등장했습니다. 독서와 수면 개선 사이의 이러한 관계는 독서가 수면의 질을 향상시킬 수 있는 여러 메커니즘을 강조하는 일화적인 증거와 과학적 연구에 의해 뒷받침됩니다.

독서를 통해 수면을 개선할 수 있는 주요 방법 중 하나는 스트레스와 불안을 줄이는 것입니다. 스트레스와 불안은 수면 장애의 주요 원인으로, 밤새 잠들거나 잠들기 어렵게 만듭니다.

독서와 같은 편안한 활동에 참여하면 몸과 마음을 진정시켜 수면에 도움이 되는 환경을 조성할 수 있습니다.

개인은 특히 소설을 읽을 때 종종 이야기에 열중하게 되어 그날의 걱정과 스트레스로부터 주의를 딴 데로 돌릴 수 있습니다. 이러한 정신 전환은 신체의 주요 스트레스 호르몬인 코르티솔 수치를 낮추어 휴식과 수면 준비를 향상할 수 있습니다.

독서는 또한 취침 시간 루틴의 필수적인 부분이 될 수 있으며, 이는 좋은 수면 위생에 매우 중요합니다. 일관된 수면 전 루틴은 긴장을 풀고 잠을 준비할 시간이라는 신호를 신체에 보냅니다. 이 루틴에 독서를 통합하면 이러한 신호를 강화할 수 있습니다. 예를 들어, 잠자리에 들기 전에 20~30분 동안 책을 읽는 것은 정신을 각성 상태에서 졸음 상태로 전환하는 데 도움이 될 수 있습니다. 이 루틴은 독서와 수면을 연관시키도록 뇌를 조절하여 시간이 지남에 따라 잠들기가 더 쉬워집니다.
현대사회에서는 디지털 시대에 많은 사람들은 TV, 컴퓨터,
태블릿, 스마트폰 등 화면 앞에서 저녁 시간을 보냅니다.
스크린에서 방출되는 청색광은 수면-각성 주기 조절을 담당하는 호르몬인 멜라토닌의 생성을 방해할 수 있습니다. 실제 책을 읽거나 블루라이트 필터가 있는 전자책을 사용하면 이 문제를 완화할 수 있습니다. 잠자리에 들기 전에 독서를 하면 청색광에 대한 노출을 줄임으로써 건강한 멜라토닌 수치를 유지하는데 도움이 되어 수면 시작과 수면의 질이 향상됩니다.
독서는 잠에 도움이 되는 방식으로 정신을 자극합니다. 디지털 미디어나 강렬한 활동에 참여할 때 발생할 수 있는 과도한
자극과 달리, 독서는 건강한 방식으로 뇌를 지치게 할 수 있는 부드러운 인지 운동을 제공합니다. 이러한 정신적 자극은 독자가 책을 읽은 후 자연스럽게 졸음을 느끼게 하여 책을 내려놓은 후에 더 쉽게 잠들도록 도와줍니다. 특히 소설은 독자들로 하여금 다른 세계와 경험으로 도피할 수 있게 해줍니다. 이러한 도피는 정신적 이완의 한 형태가 될 수 있으며, 일상 생활의
압박과 도전으로부터 거리를 두는 데 도움이 됩니다. 이야기에 몰입함으로써 개인은 주변 환경으로부터 편안함과 분리감을
경험할 수 있으며, 이는 더 쉽게 수면으로 전환할 수 있게 해줍니다. 독서는 도움이 되는 수면 환경을 조성하는 것은 독서를 통해 수면을 개선하는 데 도움이 될 수 있는 또 다른 방법입니다. 편안하고 어두운 조명 공간에서 책을 읽으면 편안함을 느낄 수 있고 몸이 잠에 들 수 있도록 준비할 수 있습니다. 독서

환경이 아늑하고 지나치게 자극적이지 않은지 확인하는 것이 중요합니다. 편안한 의자, 은은한 조명, 좋은 책은 편안한 잠을 향상하는 완벽한 수면 전 환경을 조성할 수 있습니다.
독서의 수면 효과를 극대화하려면 올바른 자료와 환경을 선택하는 것이 중요합니다. 다음은 몇 가지 실용적인 팁입니다.
편안한 자료를 선택하세요. 너무 자극적이지 않거나 감정을 자극하지 않는 책을 선택하세요. 가벼운 소설, 시, 부드러운 어투의 에세이가 좋은 선택이 될 수 있습니다.
시간 제한을 설정하세요. 잠자리에 들기 전 약 20~30분 동안 책을 읽는 것을 목표로 하세요. 너무 많이 읽으면 자극을 받을 수 있지만, 너무 적게 읽으면 긴장을 풀 시간이 충분하지 않을 수 있습니다.
다음은 아늑한 환경입니다. 과도한 자극을 피하기 위해 조명이 어두운 편안한 장소에서 책을 읽으세요.
또한, 어두운 곳에서는 전자 기기 피하기입니다. e-리더를 사용하는 경우 블루라이트 필터가 있는지 확인하세요. 청색광을 방출하는 태블릿이나 스마트폰에서 독서를 피하세요.
자기 전에 책을 읽는 것은 수면의 질을 크게 향상시킬 수 있는 오랜 전통입니다. 스트레스와 불안을 줄이고, 취침 시간 루틴을 설정하고, 화면 시간을 최소화하고, 정신적 휴식을 제공하고, 수면 환경을 개선함으로써 독서는 더 나은 수면을 위한 다각적인 접근 방식을 제공합니다. 간단하고 즐거운 활동인 독서는 모든 사람의 야간 일상에 강력한 추가 요소가 될 수 있으며, 수면 개선뿐만 아니라 전반적인 삶의 질에도 도움이 됩니다.

2015년에 발표한 [12)]"Bedtime reading improves sleep quality in adults" (Sleep)잠자리 전 독서가 성인의 수면 품질 개선에 미치는 효과를 조사하여 독서가 수면에 영향을 주는 것을 연구하였습다.
무작위 대조 연구로 대상자를 선정하여 잠자리 전 독서가 성인의 수면 품질에 미치는 영향을 조사하는 것으로 진행되었습니다.연구 방법은 62명의 건강한 성인을 두 그룹으로 분류하여, 한 그룹은 2주 동안 매일 잠자리 전 30분 동안 책을 읽고, 다른 그룹은 독서를 하지 않도록 하여 두 그룹의 상이성을 검사하였습니다. 연구 결과로는 잠자리 전 독서 그룹은 독서를 하지
않은 그룹에 비해 수면 품질이 유의하게 향상된 결과가 나타났습니다.
또한 잠들기까지 걸리는 시간이 단축되었고, 밤중 깨어나는
횟수가 감소했으며, 수면 깊이가 증가하고, 숙면감이 증가했습니다. 이 연구는 잠자리 전 독서가 성인의 수면 품질을 개선하는 데 효과적인 전략이 될 수 있다는 것을 나타내고 있습니다.
잠자리 전 독서가 성인의 수면 품질을 개선하는 데 효과적인 전략이 될 가능성이 있다는 것을 알려주고 있습니다. 앞으로 더 많은 연구를 통해 잠자리 전 독서의 효과와 작용 메커니즘에 대한 이해를 높일 필요가 있습니다.

---

12) 수면 품질 개선
https://www.mayoclinic.org/healthy-lifestyle/adult-health/in-depth/sleep/art-20048379

혈압조절 : 독서와 심혈관 건강

독서와 심혈관 건강의 연관성은 심리학, 신경학, 의학 분야를 연결하는 흥미로운 주제입니다. 독서가 심혈관 건강에 미치는 직접적인 영향은 식이 요법이나 운동과 같은 다른 생활 방식 요인만큼 광범위하게 연구되지는 않았지만, 최근 연구에 따르면 독서는 다양한 심리적, 생리적 메커니즘을 통해 간접적으로 심장 건강에 도움이 될 수 있다고 합니다. 독서가 심혈관 건강 개선에 어떻게 기여할 수 있는지는 다음과 같습니다.

앞서 말씀드렸듯이 독서가 심혈관 건강에 도움이 되는 주요 방법 중 하나는 스트레스를 줄이는 것입니다. 만성 스트레스는 혈압 상승, 심박수 증가, 코티솔 수치 상승으로 이어질 수 있기 때문에 심혈관 질환(CVD)의 잘 알려진 위험 요소입니다. 독서와 같은 진정 활동에 참여하면 이러한 스트레스 반응을 완화하는 데 도움이 될 수 있습니다. 책에 몰입하면 일상의 압박으로부터 정신적으로 벗어날 수 있어 스트레스 수준이 낮아지고 마음이 더 편안한 상태가 되어 심장 건강에 도움이 됩니다.

양질의 수면은 심혈관 건강에 필수적이며, 잠자리에 들기 전에 독서를 하면 수면의 질이 향상됩니다. 수면이 부족하면 고혈압, 심장병, 뇌졸중의 위험이 높아집니다. 앞서 논의한 바와 같이, 독서는 취침 시간 루틴을 확립하고 화면 시간을 줄이는 데 도움이 되며, 두 가지 모두 더 나은 수면 위생에 기여합니다. 독서는 수면의 질을 향상시켜 심혈관 건강을 간접적으로 지원합니다.

독서, 특히 소설은 정서적 편안함을 제공하고 우울증 및 불안 증상을 줄여 정신 건강을 향상시킬 수 있습니다.
좋은 정신 건강은 심혈관 건강과 밀접하게 연관되어 있습니다. 우울증과 불안은 염증, 심박 변이도 변화, 열악한 식습관 및 신체 활동 부족과 같은 건강에 해로운 행동과 같은 메커니즘을 통해 심혈관 질환의 위험을 증가시키는 것으로 알려져 있습니다. 독서는 정신 건강을 개선함으로써 이러한 위험 요소를 줄일 수 있습니다.
독서와 같이 지적으로 자극하는 활동에 참여하면 인지 기능이 향상되고 심혈관 건강이 향상될 수 있습니다.
인지 저하와 심혈관 건강은 서로 연결되어 있습니다. 치매 및 심장병과 같은 질병은 고혈압 및 당뇨병을 포함한 공통된 위험 요소를 공유합니다. 독서를 통해 뇌를 활동적으로 유지하면
인지 건강을 유지하는 데 도움이 되며, 이는 전반적인 심혈관 기능에 도움이 됩니다.
독서는 특히 문학은 공감과 사회적 이해를 향상시킬 수 있습니다. 사회적 고립과 외로움은 심혈관 질환의 중요한 위험 요소입니다. 독서는 공감력과 타인과의 유대감을 키워 외로움을
완화하고 사회적 유대감을 향상하여 간접적으로 심장 건강을 지원하는 데 도움이 될 수 있습니다.
독서는 또한 과도한 음주, 흡연, 과식과 같이 심혈관 건강에
부정적인 영향을 미칠 수 있는 잠재적으로 해로운 행동에 대한 건강한 대안이 될 수 있습니다. 독서는 성취감 있고 매력적인 오락을 제공함으로써 개인이 이러한 행동을 피하고 더 건강한

생활 방식을 선택하는 데 도움이 될 수 있습니다.
독서의 심혈관 이점을 극대화하려면 다음과 같은 실용적인 내용을 알아두셔야 합니다.
독서를 일상 생활의 루틴으로 만드세요. 스트레스를 관리하고 정신적 휴식을 제공하는 데 도움이 되도록 매일 독서에 전념하는 시간을 따로 마련하세요. 또한, 중요한 것은 편안한 자료 선택입니다. 관심 주제에 대한 소설, 시, 에세이 등 즐겁고 편안한 장르를 선택하세요.
독서가 심혈관 건강에 미치는 직접적인 영향을 완전히 이해하려면 더 많은 연구가 필요하지만, 현재 증거에 따르면 독서는 여러 가지 간접적인 이점을 가질 수 있습니다. 스트레스를 줄이고, 정신 건강을 개선하고, 수면의 질을 향상시키고, 사회적 연결을 향상하고, 건강한 행동을 장려함으로써 독서는 더 건강한 심혈관 시스템에 기여할 수 있습니다. 독서를 일상생활에 접목시키는 것은 마음을 풍요롭게 할 뿐만 아니라 전반적인 심장 건강을 지원하여 전체적인 안정을 위한 귀중한 활동이 됩니다.
"Effect of reading on blood pressure and heart rate" (Heart)
독서가 혈압과 심박수에 미치는 영향을 조사하였습니다.
연구 방법은 수면개선 연구와 동일하게 62명의 건강한 성인을 두 그룹으로 분류하고, 한 그룹은 12주 동안 매일 30분 이상 책을 읽고, 다른 그룹은 독서를 하지 않도록 하였습니다.
이 때 혈압과 심박수를 측정하기 위해 혈압계와 심박수 측정기를 사용하여 혈압과 심박수를 측정하였습니다.
12주 후, 독서 그룹은 독서를 하지 않은 그룹에 비해 수축기 혈압이 평균 4mmHg 감소하고, 확장기 혈압이 평균 3mmHg 감소했습니다. 독서 그룹의 심박수는 독서를 하지 않은 그룹에 비해 유의하게 낮아졌습니다.
독서가 혈압과 심박수를 감소시키는 데 효과적인 방법이 될 수 있다는 것을 나타내고 있습니다.
위와 같은 연구 결과들을 통해 독서치료가 면역력 강화, 통증 감소, 수면 개선, 혈압 조절 등의 신체 건강 개선에 효과적임을 알 수 있습니다. 이는 독서가 스트레스 감소, 긍정적인 감정 증진, 인지 기능 향상 등 다양한 메커니즘을 통해 신체 건강에 영향을 미치기 때문입니다.
따라서, 정신 건강뿐만 아니라 신체 건강에도 도움을 받고 싶은 분들은 독서치료를 적극적으로 고려해보는 것을 추천합니다.

독서치료 프로그램의 구성 요소

프로그램 설계 목표와 방법

독서치료 프로그램을 설계하는 데는 명확한 목표를 설정하고 참가자의 요구를 해결하기 위한 효과적인 방법을 사용하는 것이 포함됩니다. 다음은 효과적인 독서치료 프로그램을 만들기 위한 목표와 방법에 대한 구조화된 개요입니다.
첫 번째로 정서적 치유 및 지원입니다. 참가자들이 자신의 감정을 처리 및 관리하고, 스트레스에 대처하고, 독서를 통해 위안을 찾도록 돕습니다. 도서의 선정은 슬픔, 불안, 탄력성과 같은 감정적 주제를 다루는 책을 선택하세요.
정신 건강 개선 효과로는 우울증, 불안, PTSD와 같은 정신 건강 상태의 증상을 완화합니다. 치료적 통찰력을 제공하고 연결감과 이해심을 키우는 내러티브를 사용합니다.
두 번 째로 인지 발달입니다. 기억력, 주의력, 비판적 사고와 같은 인지 기능을 향상시킵니다. 도서의 선정은 마음에 도전하고 지적 참여를 자극하는 문학을 선택하십시오.
세 번째로는 사회적 기술과 공감입니다. 캐릭터와 스토리를 통해 사회적 이해와 공감 능력을 향상시킵니다. 이러한 공감의 효과는 다양한 관점을 제공하고 공감을 향상하는 다양한 내러티브를 통합합니다.
네 번째로는 개인적 성장과 자기 성찰입니다. 먼저 자기 연구와 개인적 발전을 장려합니다. 도서 선정은 자기 성찰을 불러일으키고 개인적인 성장을 불러일으키는 책을 사용하십시오.
마지막으로 교육 및 읽고 쓰는 능력 목표입니다. 읽기 능력, 어휘력, 이해력을 향상시키며, 읽고 쓰는 능력을 향상시키기 위해 연령에 적합하고 기술에 적합한 자료를 선택합니다.
첫 번째단계인 정서적 치유 및 지원 다음으로는 평가 및 맞춤화단계입니다.
초기 평가로 설문지, 인터뷰 및 읽기 테스트를 통해 참가자의 요구 사항, 관심 사항 및 읽기 수준을 평가합니다.
독서치료에 맞는 맞춤형 독서 목록은 개인의 필요와 목표를 해결하기 위해 평가를 기반으로 맞춤형 독서 목록을 개발합니다. 적절한 도서 선정은 소설, 에세이, 시, 자기계발서 등 다양한 장르에서 치료 목표에 맞는 책을 선택하세요. 또한 주제 관련성에 맞게 책의 주제가 참가자의 경험과 과제에 공감하는지 확인하십시오.
구조화된 세션입니다. 독서 시간, 토론, 성찰을 포함하는 세션을 설계합니다. 독서치료에서 중요한 상호작용적이고 성찰적인 활동단계입니다. 독서에 대한 통찰력, 경험 및 해석을 공유하기 위해 그룹 토론을 진행하도록 합니다. 이 진행과정에서 참가자들이 읽은 내용에 대한 자신의 생각과 느낌을 명확하게 표현할 수 있도록 성찰 저널링을 포함합니다. 또한 읽기 내용을 바탕으로 그리기, 스토리텔링, 역할극 등의 활동을 활용하여 참여도와 이해도를 높입니다.
세 번째 단계로는 진행 상황 모니터링 및 평가단계입니다. 정기적인 체크인을 통해 진행 상황을 모니터링하고, 피드백을 수집하고, 프로그램에 필요한 조정을 수행합니다.
결과 측정하여 정성적, 정량적 방법을 사용하여 프로그램이 참가자의 정서적, 인지적, 사회적 안정에 미치는 영향을 평가합니다. 다른 치료법과의 융합하여 종합적인 치료 계획을 위해 독서 치료를 인지 행동 치료, 마음챙김 실천, 미술 치료 등 다른 치료 접근 방식과 함께합니다.
전문인력으로 정신 건강 전문가, 교육자 및 간병인과 협력하여 프로그램이 참가자의 전반적인 치료 목표를 지원할 수 있도록 합니다. 독서치료의 중요한 팁은 참가자가 안전하고 편안한 환경으로 참가자들이 편안하게 독서를 공유하고 탐색할 수 있는 안전하고 환영받는 공간을 만듭니다. 또한, 참가자의 피드백과 변화하는 요구 사항에 따라 유연하게 프로그램을 조정할 준비가 되어 있어야 합니다. 그리고 관심과 동기를 유지하기 위해 세션을 흥미롭고 다양하게 유지하세요.
독서치료 그룹에서 지지적인 공동체로 치료 경험을 향상시키기 위해 참가자들 사이에 공동체 의식과 지원을 조성합니다.
명확한 목표를 설정하고 사려 깊고 증거 기반의 방법을 사용함으로써 독서 치료 프로그램은 참가자에게 상당한 정서적, 인지적, 사회적 혜택을 제공할 수 있습니다.

책선정 : 적합한 책 고르기

독서치료에서 올바른 책을 선택하는 것은 치료 과정의 성공과 효과에 매우 중요합니다. 선택된 독서는 원하는 치료 결과를 달성하기 위해 참가자의 경험, 요구 및 선호도와 공감해야 합니다. 독서치료에서 적절한 책을 선택하는 것이 필수적인 몇 가지 이유는 8가지정도 있습니다.
감정적, 심리적, 사회적 등 참가자의 개인적인 어려움과 밀접한 관련이 있는 책은 관련 통찰력과 지원을 제공할 수 있습니다. 예를 들어, 슬픔을 겪고 있는 사람은 상실과 회복이라는 주제를 연구하고 관련 경험과 대처 전략을 제공하는 소설을 읽으면 도움이 될 수 있습니다.
공감을 돕기 위해 잘 선택된 책은 강한 감정적 연결을 형성하여 참가자들이 자신의 경험에서 이해받고 고립감을 덜 느끼도록 돕습니다. 참가자 자신의 삶을 반영하는 캐릭터와 상황은 그들의 감정을 확인하고 감정 표현을 장려할 수 있습니다. 책은 참가자의 읽기 능력과 인지 능력에 부합하여 참가자가 압도되거나 지루함을 느끼지 않고 몰입할 수 있도록 해야 합니다. 어린이의 경우 연령에 맞는 언어와 개념이 필수적이지만 성인은 보다 복잡한 내러티브와 주제가 도움이 될 수 있습니다. 또한, 회복력, 희망, 역경 극복을 주제로 한 책은 참여자들이 자신의 삶에서 긍정적인 변화를 이룰 수 있도록 영감과 동기를 부여할 수 있습니다. 용서, 수용, 개인적 성장과 같은 주제는 정서적 치유와 발전을 향상하는 데 특히 강력할 수 있습니다. 긍정적인 역할 모델과 성공적인 대처 메커니즘의 예가 포함된 독서는 참가자에게 자신의 문제를 관리하기 위한 전략을 제공할 수 있습니다. 캐릭터가 유사한 도전을 헤쳐나가는 것을 보는 것은 실용적인 해결책을 제공하고 참가자들이 더 건강한 행동을 채택하도록 영감을 줄 수 있습니다. 참여자의 문화적 배경과 개인적 경험을 존중하고 반영하는 책은 관련성과 효과성을 높일 수 있습니다.
문화적으로 관련된 독서는 오해를 피하고 자료에 대한 더 깊은 연결을 향상하는 데 도움이 될 수 있습니다.
여기서 중요한 것은 잠재적으로 부정적인 반응을 유발하거나 참가자의 상태를 악화시킬 수 있는 책을 피하는 것이 중요합니다. 참가자의 발전을 방해하기보다는 지원하는 독서를 선택하려면 참가자의 역사와 감수성에 대한 철저한 이해가 필요합니다. 자연스럽게 토론과 성찰에 도움이 되는 책은 치료 과정을 향상시킬 수 있습니다. 생각을 자극하는 질문을 제기하고 개인적인 성찰을 불러일으키는 독서는 치료 세션 중에 참가자의 이해를 심화시키고 의미 있는 대화를 향상할 수 있습니다.
독서치료 도서 선정을 위한 요령으로는 책을 선택하기 전에 참가자의 요구 사항, 선호도, 독서 능력에 대한 철저한 평가를 진행해야합니다. 그 후 다양한 취향과 관심 사항을 수용할 수 있는 다양한 도서 옵션을 제공하여 참가자들이 자신에게 맞는 책을 선택할 수 있도록 합니다.
마지막으로 참가자들이 선택한 책에 대한 피드백을 제공하여 향후 선택을 개선하고 치료 과정을 개선하도록 권장합니다.
여기서 더하자면 독서 치료의 유연성입니다.시간이 지남에 따라 참가자의 요구나 반응이 변하는 경우 도서 선택을 조정할 준비를 하십시오. 따라서 독서치료에서 올바른 책을 선택하는 것은 치료 개입의 성공에 큰 영향을 미치는 중요한 요소입니다. 관련성이 있고 정서적으로 매력적이며 적절하게 도전적이며 문화적으로 민감한 독서를 선택함으로써 치료사는 보다 효과적이고 의미 있는 치유 과정을 향상할 수 있습니다.
사려 깊은 도서 선택은 참가자들이 문학의 혁신적인 힘을 통해 자신의 문제를 연구하고, 이해하고, 해결할 수 있도록 지원하는 안전하고 지원적이며 풍부한 경험을 만드는 데 도움이 됩니다.
독서치료 프로그램에서 적절한 책을 선택하는 것은 프로그램의 성공에 매우 중요합니다. 책의 내용뿐만 아니라 참여자의 직업, 연령등 특성등을 파악하는 것이 중요합니다.
가장 기초적인 것은 나이입니다. 독서 능력과 이해력 수준에 맞는 책을 선택해야 합니다. 어린아이들에게는 그림이 많고 글자수가 적은 책을, 청소년들에게는 흥미롭고 쉽게 읽을 수 있는 소설이나 에세이, 어른들에게는 더욱 심오하고 사색을 할 수 있는 도서로 선정합니다.
어린이 이 연령대 어린이는 그림과 소리를 통해 독서 경험을 시작합니다. 독서치료 프로그램은 이미지, 동요, 동화구연 등을 이용하여 어린이의 감각을 활용하여야 합니다.

- 영유아기 (0-3세): 그림과 간단한 이야기를 통해 독서 경험을 시작합니다. 독서치료 프로그램은 그림책 읽기, 노래,

이야기하기 등을 활용하여 어린이의 언어 발달, 상상력, 감성 발달을 향상하는 데 초점을 맞춰야 합니다.

- 유아기 (3-5세): 자음과 모음을 배우고, 단어를 읽고 쓰기 시작합니다. 독서치료 프로그램은 음운 인식, 운율, 초기 읽기 및 쓰기 능력 향상을 위한 활동을 포함해야 합니다. 또한, 이야기 이해력과 어휘력을 키우는 데 도움이 되는 다양한 이야기를 읽어주는 것이 중요합니다.
- 학령기 (6-12세): 이 연령대 어린이는 독서 능력이 발달하고, 더 복잡한 이야기를 이해할 수 있습니다. 독서치료 프로그램은 독해 능력 향상, 어휘력 확장, 비판적 사고력 및 문제 해결 능력을 키우는 데 도움이 되는 다양한 독서 자료를 활용해야 합니다. 또한, 창의적인 글쓰기 활동을 통해 어린이의 자아 표현 능력을 향상시킬 수 있습니다.

청소년 이 연령대 청소년은 다양한 주제에 대한 관심이 높아지고, 자신의 정체성을 형성하는 단계입니다. 독서치료 프로그램은 청소년의 관심 분야와 관련된 책을 활용하여 감정 조절 능력, 사회성, 자존감 향상을 위한 활동을 제공해야 합니다. 또한, 청소년들이 자신의 생각과 경험을 자유롭게 표현할 수 있는 공간을 마련하는 것이 중요합니다.

- 인지적 발달: 청소년은 추상적 사고, 비판적 사고, 문제 해결 능력을 발달시킵니다. 독서치료 프로그램은 이러한 인지 능력을 향상시키는 데 도움이 되는 활동을 포함해야 합니다. 예를 들어, 토론, 논쟁, 창의적 글쓰기 등이 있습니다.
- 정서적 발달: 청소년은 정체성 형성, 자존감 발달, 감정 조절

능력 향상 등의 과제에 직면합니다. 독서치료 프로그램은 이러한 과제를 다루는 데 도움이 되는 자료와 활동을 제공해야 합니다. 예를 들어, 청소년 문학, 자기 계발 도서, 감정 표현 활동 등이 있습니다.

- 사회적 발달: 청소년은 또래 집단과의 관계 형성, 사회적 규범 이해, 사회 참여 등에 관심을 갖습니다. 독서치료 프로그램은 이러한 사회적 발달을 향상하는 데 도움이 되는 활동을 포함해야 합니다. 예를 들어, 집단 독서 활동, 역할극, 봉사활동 등이 있습니다.

다양한 어려움을 겪는 성인들에게 도움이 되는 효과적인 치료 방법입니다. 하지만 프로그램의 효과를 극대화하기 위해서는 성인의 특성을 고려하여 설계하는 것이 중요합니다.

- 청년기 (18-25세): 자아 정체성을 형성하고, 사회적 역할을 수행하며, 미래를 계획하는 단계입니다. 독서치료 프로그램은 이러한 과제를 다루는 데 도움이 되는 자료와 활동을 제공해야 합니다. 예를 들어, 자기 계발 도서, 경력 관련 책, 사회 문제 관련 책 등이 있습니다.

  성인의 교육 수준에 따라 독서치료 프로그램의 내용을 조절해야 합니다. 교육 수준이 낮은 성인에게는 기초적인 독해 능력을 향상시키는 데 도움이 되는 활동을 제공하고, 교육 수준이 높은 성인에게는 더 심층적인 문학 분석이나 비판적 사고 활동을 제공해야 합니다.
- 성인 초기 (26-45세): 가족을 시작하고, 직장 생활에 적응하며, 자신의 삶을 안정시키는 단계입니다. 독서치료

프로그램은 이러한 과제를 다루는 데 도움이 되는 자료와 활동을 제공해야 합니다. 예를 들어, 양육 관련 책, 스트레스 관리 책, 관계 개선 책 등이 있습니다.

- 성인 중기 (46-65세): 이 연령대 성인들은 은퇴를 준비하고, 가족과의 관계를 재정립하며, 삶의 의미를 찾는 단계입니다. 독서치료 프로그램은 이러한 과제를 다루는 데 도움이 되는 자료와 활동을 제공해야 합니다. 예를 들어, 은퇴 준비 책, 노년기 관련 책, 삶의 의미 연구 책 등이 있습니다.
- 노년기 (65세 이상): 건강 문제, 사회적 고립, 죽음에 대한 두려움 등의 어려움을 겪을 수 있습니다. 독서치료 프로그램은 이러한 어려움을 다루는 데 도움이 되는 자료와 활동을 제공해야 합니다. 예를 들어, 건강 관리 책, 노년기 관련 책, 죽음에 대한 책 등이 있습니다.

두 번째로 중요한 것은 성별은 독서치료 도서 선정 시 중요한 자료가 될 수 있습니다. 남성과 여성의 관심사와 선호도가 다를 수 있으므로, 대상자의 성별에 맞는 책을 선택하는 것이 좋습니다.

- 남성 관심 분야은 일반적으로 SF, 판타지, 역사, 과학, 기술 등의 주제에 대한 책을 선호하는 경향이 있습니다. 따라서 독서치료 프로그램은 이러한 주제의 책들을 활용하여 남성들의 참여를 높일 수 있습니다.
- 프로그램 활동 방식은 남성들은 경쟁적인 활동이나 문제 해결 활동을 선호하는 경향이 있습니다. 따라서 독서치료 프로그램은 토론, 논쟁, 역할극 등의 경쟁적인 활동이나

문제 해결 활동을 포함하는 것이 좋습니다.

- 프로그램 진행 방식은 남성들은 직접적인 학습 방식을 선호하는 경향이 있습니다. 따라서 독서치료 프로그램은 강의, 시연, 실습 등의 직접적인 학습 방식을 포함하는 것이 좋습니다.
- 여성 관심 분야은 일반적으로 소설, 로맨스, 자기 계발, 인간 관계 등의 주제에 대한 책을 선호하는 경향이 있습니다. 따라서 독서치료 프로그램은 이러한 주제의 책들을 활용하여 여성들의 참여를 높일 수 있습니다.
- 프로그램 활동 방식은 여성들은 협력적인 활동이나 감정 표현 활동을 선호하는 경향이 있습니다. 따라서 독서치료 프로그램은 집단 독서 활동, 토론, 글쓰기 등의 협력적인 활동이나 감정 표현 활동을 포함하는 것이 좋습니다.
- 프로그램 진행 방식은 여성들은 협력적인 학습 방식을 선호하는 경향이 있습니다. 따라서 독서치료 프로그램은 그룹 토론, 역할극, 프로젝트 작업 등의 협력적인 학습 방식을 포함하는 것이 좋습니다.

위의 특성들은 일반적인 경향이며, 모든 남성이나 여성에게 적용되는 것은 아닙니다. 개인의 성격, 흥미, 경험 등을 고려하여 프로그램을 구성하는 것이 중요합니다. 성별 고정관념을 강화하지 않도록 주의해야 합니다. 남성과 여성 모두 다양한 주제에 대한 책을 읽을 수 있으며, 다양한 방식으로 학습할 수 있습니다.

- 관심 분야에 맞는 자료 선정

참여자들의 관심 분야를 파악한 후에는 그들의 관심 분야에 맞는 독서 자료를 선정해야 합니다. 다양한 장르의 책들을 제공하여 참여자들이 선택할 수 있도록 하는 것이 좋습니다. 또한, 참여자들의 독서 수준을 고려하여 적절한 난이도의 책을 선택해야 합니다.

- 관심 분야 관련 활동 제공

독서 외에도 참여자들의 관심 분야와 관련된 다양한 활동을 제공하는 것이 좋습니다. 예를 들어, SF 소설을 좋아하는 참여자들에게는 SF 영화 상영회를 개최하거나, 역사 소설을 좋아하는 참여자들에게는 역사 박물관 방문 프로그램을 제공할 수 있습니다.

- 독서 공유 및 토론

참여자들이 읽은 책에 대한 경험을 공유하고 토론할 수 있는 기회를 제공하는 것이 중요합니다. 이를 통해 참여자들은 책에 대한 이해를 높일 수 있고, 서로의 관점을 배우고, 새로운 생각을 얻을 수 있습니다.

- 전문가와의 협력

참여자들의 관심 분야와 관련된 전문가와 협력하여 프로그램을 진행하는 것도 좋은 방법입니다. 예를 들어, 스포츠 소설을 좋아하는 참여자들에게는 운동 선수를 초청하여 강연을 진행하거나, 과학 소설을 좋아하는 참여자들에게는 과학자를 초청하여 토론을 진행할 수 있습니다.

독서치료 프로그램은 참여자들의 개인적 관심사를 고려하여 설계함으로써 흥미를 유발하고 참여를 높일 수 있으며, 또한 치료 효과를 향상시킬 수 있습니다.

- 정서적 요구에 맞는 자료 선정

참여자들의 정서적 어려움을 파악한 후에는 그들의 정서적 요구에 맞는 독서 자료를 선정해야 합니다. 예를 들어, 불안을 겪는 참여자들에게는 안정감을 주는 책을, 우울증을 겪는 참여자들에게는 희망을 주는 책을, 분노를 겪는 참여자들에게는 감정 조절 능력을 향상시키는 책을 제공할 수 있습니다.

- 정서적 요구에 맞는 활동 제공

독서 외에도 참여자들의 정서적 요구에 맞는 다양한 활동을 제공하는 것이 좋습니다. 예를 들어, 스트레스를 겪는 참여자들에게는 명상, 요가, 심호흡 등의 스트레스 관리 활동을 제공하고, 외로움을 겪는 참여자들에게는 집단 활동, 토론, 글쓰기 등의 사회적 교류 활동을 제공할 수 있습니다.

- 안전하고 편안한 환경 조성

독서치료 프로그램은 참여자들이 안전하고 편안하게 느낄 수 있는 환경에서 진행되어야 합니다. 참여자들이 자신의 감정을 자유롭게 표현할 수 있고, 다른 참여자들과의 갈등을 최소화할 수 있도록 돕는 것이 중요합니다.

독서치료 프로그램은 참여자들의 정서적 요구를 고려하여 설계함으로써 정서적 어려움을 해결하고, 정신 건강을 증진시키는 데 도움이 될 수 있습니다.

3. 전문가의 의견

독서치료사, 사서, 심리 상담사 등의 전문가의 의견을 참고하여 책을 선택하는 것이 좋습니다. 전문가들은 대상자의 특성과 프로그램 목표에 맞는 책을 추천해 줄 수 있습니다. 독서 치료 프로그램은 다양한 전문가들이 협력하여 운영됩니다.

각 전문가는 고유한 역할과 전문성을 가지고 있으며, 프로그램의 효과적인 운영에 기여합니다. 주요 전문가들을 다음과 같이 분류하고 각자의 특성을 살펴보겠습니다.

- 독서 치료사

독서 치료 프로그램을 설계하고 운영하며, 참여자들에게 독서 치료를 제공하는 전문가이며, 참여자의 목표, 요구, 특성을 고려하여 프로그램을 개발하고 계획합니다.

자료 선정: 참여자들에게 적합한 책과 자료를 선정합니다.

개별 치료: 참여자들과 개별 면접을 진행하여 독서 치료합니다.

그룹 치료: 참여자들과 그룹 토론, 활동 등을 진행하여 독서 치료합니다.

평가 및 모니터링: 프로그램의 효과를 평가하고 모니터링합니다.

필요한 자격: 정신 건강 전문가 자격증 (예: 심리 상담사, 정신 건강 사회복지사) 및 독서 치료 관련 교육 과정 이수.

독서 치료사 전문가의 핵심 역량

심리적 이해: 인간의 심리와 발달 과정에 대한 이해

독서 능력: 다양한 장르의 책을 읽고 이해하는 능력

의사 소통 능력: 참여자들과 효과적으로 의사 소통하는 능력

상담 능력: 참여자들의 문제를 이해하고 해결 방안을 모색하는 능력

전문성: 독서 치료 관련 전문 지식 및 기술

- 사서

독서 치료 프로그램에 필요한 책과 자료를 선정하고 관리하는 전문가입니다. 자료 선정에 참여합니다. 참여자들의 목표, 요구, 특성을 고려하여 적절한 책과 자료를 선정하며, 프로그램에 필요한 책과 자료를 수집하고 관리 및 참여자들에게 책과 자료에 대한 정보를 제공합니다.

또한 독서 환경 조성: 참여자들이 편안하게 독서할 수 있는 환경을 조성합니다. 필요한 자격은 사서 자격증입니다.

정보 검색 능력: 다양한 정보원을 활용하여 필요한 정보를 검색하는 능력

자료 평가 능력: 책과 자료의 가치와 내용을 평가하는 능력

자료 관리 능력: 책과 자료를 효과적으로 관리하는 능력

고객 서비스 능력: 참여자들에게 친절하고 전문적인 서비스를 제공

독서 홍보 능력: 참여자들에게 독서를 홍보하고 독서 습관을 형성

- 정신 건강 전문가 (심리 상담사, 정신 건강 사회복지사)

참여자들의 정신 건강 상태를 평가하고 치료를 제공하는 전문가이며, 참여자들의 정신 건강 상태를 평가하고 진단합니다.

개별 치료: 참여자들에게 개별적인 심리 치료를 제공합니다.

그룹 치료: 참여자들과 그룹 치료를 진행합니다.

약물 치료: 필요한 경우 참여자들에게 약물 치료를 제공합니다.

위기 상황 개입: 참여자들이 위기 상황에 처한 경우 개입

필요한 자격: 정신 건강 전문가 자격증 (예: 심리 상담사, 정신 건강 사회복지사)

4. 대상자의 참여
가능하다면 대상자에게 직접 책을 선택하도록 하는 것도 좋은 방법입니다. 대상자 본인이 선택한 책은 더욱 흥미롭게 읽을 가능성이 높습니다.
더불어 독서치료 프로그램 진행시 추가적으로 고려할 사항들이 있습니다.
첫 번째로, 프로그램에서 사용할 책을 쉽게 입수할 수 있는지 확인해야 합니다.
두 번째 고려사항은 책의 가격입니다. 프로그램 예산에 맞는 가격의 책을 선택해야 합니다. 두 번째로 책의 형식입니다.
종이 책, 전자책, 오디오북 등 다양한 형식의 책을 활용할 수 있습니다. 독서치료 프로그램에 적합한 책 선정은 쉽지 않은 일이지만, 위의 요소들을 고려하여 신중하게 선택한다면 프로그램의 효과를 높일 수 있습니다.

독서치료 세션의 진행방법

독서치료 프로그램 요약 첨부: 5가지 주요 단계 거칩니다.
아래에서는 독서치료 프로그램에 대한 간결한 요약을 5가지 주요 단계로 깔끔하게 정리하여 확인하실 수 있습니다. 이 요약에는 이전에 논의한 필수 구성 요소와 방법이 요약되어 있어 효과적인 독서 치료 프로그램을 구현하기 위한 명확하고 구조화된 접근 방식을 보장합니다.
첫 번째, 평가 및 맞춤화입니다.

먼저 설문지, 인터뷰, 읽기 테스트를 통해 참가자의 정서적, 심리적, 인지적 필요 사항을 평가합니다. 이러한 요구 사항을 이해하는 것은 프로그램을 각 개인에게 맞춤화하는 데 중요합니다. 다음으로 특정 목표와 관심 사항을 해결하기 위한 평가를 기반으로 맞춤형 독서 목록을 개발합니다. 개인화된 목록은 선택한 독서가 참가자의 공감을 불러일으키고 치료 요구 사항을 충족하도록 보장합니다.

두 번째, 적절한 독서의 선택입니다.

치료 목표에 부합하고 참가자의 경험에 공감하는 다양한 장르의 도서를 선택합니다. 원하는 치료 결과를 달성하려면 바른 독서 선택이 필수적입니다. 또한, 참가자의 읽기 수준, 문화적 배경, 잠재적인 요인을 고려하여 자료가 적절하고 유익한지 확인하세요. 이러한 신중한 선택 과정은 안전하고 효과적인 치료 환경을 조성하는 데 도움이 됩니다.

세 번째, 구조화된 세션입니다.

전용 독서 시간, 안내 토론 및 성찰 활동이 포함된 세션을 설계합니다. 체계적인 세션은 참가자들이 자료에 깊이 참여할 수 있는 프레임워크를 제공합니다. 그리고 숙련된 치료사 또는 진행자가 세션을 주도하여 참가자들이 자료에 연결하고 그 의미를 탐색하도록 돕습니다. 진행자의 역할은 치료 과정을 안내하고 의미 있는 참여를 보장하는 데 매우 중요합니다.

네 번째, 상호작용적이고 성찰적인 활동입니다.

읽은 내용에 대한 통찰력과 해석을 공유하기 위해 그룹 토론을 향상합니다. 이러한 대화형 접근 방식은 참가자들이 서로에게서 배우고 다양한 관점을 얻도록 장려합니다.
독서치료에서 표현으로 나타내는 감정을 참가자들이 일지를 기록하고 그림이나 역할극과 같은 창의적인 활동에 참여하여 문학에 대한 이해와 개인적 연결을 심화하도록 권장합니다.
이러한 활동은 자기 성찰과 개인적 성장을 향상합니다.
다섯 번째, 진행 상황 모니터링 및 평가입니다.
정기적인 체크인을 통해 진행 상황을 모니터링하고, 피드백을 수집하고, 필요에 따라 프로그램을 조정합니다. 지속적인 평가를 통해 프로그램이 참가자의 변화하는 요구에 계속 대응할 수 있도록 보장합니다.
이 결과를 정성적, 정량적 방법을 사용하여 프로그램이 참가자의 정서적, 인지적, 사회적 안정에 미치는 영향을 평가합니다. 효과적인 평가는 프로그램의 성공을 입증하고 개선이 필요한 영역을 식별하는 데 도움이 됩니다.
이러한 5가지 단계를 따르면 독서치료 프로그램은 의미 있는 치료적 이점을 제공하도록 효과적으로 설계 및 진행될 수 있습니다. 이러한 구조화된 접근 방식은 프로그램이 개인의 필요에 맞게 조정되고, 적절한 독서를 활용하며, 최적의 결과를 향상하기 위해 지속적으로 모니터링하고 적응하도록 보장합니다.
독서치료 프로그램에서 감정표현을 위해 토론세션은 독서 경험을 공유하고, 책의 내용을 더 깊이 이해하고, 다른 사람들과의 관계를 형성하는 데 도움이 되는 중요한 활동입니다.

효과적인 토론을 진행하기 위해서는 다음과 같은 단계를 따르는 것이 좋습니다.

1. 준비(독서 준비)

토론 주제 선정으로 토론의 초점을 잡기 위해 책의 특정 내용이나 주제를 선정합니다. 나만의 독서 여정 떠나기,흥미로운 책 선택하기, 좋아하는 장르, 주제 골라봅니다.

토론 질문 준비입니다. 토론을 활성화하고 참여를 유도하기 위해 다양한 질문을 준비합니다. 질문은 개방적이고 생각해 볼 만한 내용이어야 합니다.책 속 세상 몰입하기, 중요한 내용, 마음에 드는 부분 메모해두면 좋습니다.

토론 방식 결정입니다. 전체 그룹 토론, 소그룹 토론, 롤 플레잉 등 다양한 토론 방식을 활용할 수 있습니다. 읽으면서 궁금한 점, 생각나는 부분 질문으로 적어 놓도록 합니다.

2. 진행

토론 주제와 질문을 소개하고, 토론 참여에 대한 지침을 제공합니다. 핵심 파악하여 책의 주제, 주요 등장인물, 사건 기억해두록 합니다.

토론 활성화을 진행합니다. 질문을 던지고, 참여자들의 의견을 적극적으로 이끌어 냅니다. 나만의 해석 펼치기입니다. 읽은 내용에 대한 나의 생각, 감정, 의견 정리합니다.

독서치료 토론에 소극적인 참여자들에게도 발언 기회를 제공하고, 모든 참여자들이 토론에 참여할 수 있도록 돕습니다. 자신의 생각과 해석 제시하기입니다.

수동적인 방법으로는 경청하기입니다. 다른 사람들의 의견

경청하고 존중하기 등 서로의 생각 나누면서 배우고 성장할 수 있는 기회를 만들어 줍니다. 토론 요약해 보도록 합니다.토론을 마무리하기 전에 주요 내용을 요약하고, 토론을 통해 얻은 것을 공유합니다. 논리적 사고력 발휘하여 서로 다른 의견을 비교 분석하고 자신의 입장 논리적으로 설명하도록 합니다. 함께 토론수업으로 협력하고 배려하는 태도로 토론에 참여하여 즐겁고 유익한 시간을 갖도록 합니다.

3. 마무리

토론의 진행 상황과 참여자들의 참여도를 평가합니다.

토론 내용, 주요 쟁점, 나의 생각 정리하기 등을 합니다.

참여자들에게 토론에 대한 피드백을 제공하고, 개선할 부분을 함께 논의합니다. 개인적 성찰이나 독서와 토론을 통해 얻은 것, 생각의 변화, 앞으로의 방향성 등을 되돌아보기를 합니다.

독서치료 토론 내용과 관련된 후속 활동을 제안합니다.

예를 들어, 글쓰기, 그림 그리기, 프로젝트 제작 등을 할 수 있습니다. 다음 독서를 위한 준비로 다음 독서 토론을 위해 새로운 책 선택하고 준비하도록 합니다.

독서 치료 토론을 효과적으로 진행하기 위한 추가 팁을 적자면, 안전하고 편안한 환경 조성입니다. 참여자들이 자유롭게 발언할 수 있도록 안전하고 편안한 환경을 조성합니다. 두 번째는 존중하는 태도 유지는 모든 참여자들의 의견을 존중하고, 비판보다는 격려하는 태도를 유지합니다. 또한 적절한 유머를 활용하여 분위기를 띄우고 참여자들의 참여를 유도합니다. 흥미를 끌만한 시각 자료 활용하는 것도 좋습니다. 마인드맵,

차트, 이미지 등의 시각 자료를 활용하여 토론 내용을 이해하기 쉽게 돕습니다.
독서치료 프로그램에서 토론은 참여자들의 성장과 발달에 큰 도움이 될 수 있습니다. 위의 방법을 참고하여하여 효과적인 토론을 진행하고, 프로그램의 목표를 달성하시기 바랍니다.

피드백과 평가 : 프로그램의 효과 측정

피드백과 평가는 성공적인 독서 치료 프로그램의 중요한 구성 요소입니다. 이들은 프로그램이 목표를 달성하고 참가자의 요구 사항을 해결하며 지속적인 개선을 향상하는지 확인합니다.
다음은 프로그램 효과 측정을 포함하여 효과적인 피드백 및 평가를 구현하는 방법에 대한 개요입니다.
피드백 수집입니다. 정기적인 체크인 방법입니다.
참가자 인터뷰입니다. 참가자들과 정기적인 일대일 또는 그룹 인터뷰를 실시하여 프로그램에 대한 생각과 느낌을 수집합니다.
이러한 대화는 참가자가 자료에 어떻게 참여하는지에 대한 즉각적이고 개인적인 통찰력을 제공할 수 있습니다.
진행자는 세션 중에 참가자를 정기적으로 관찰하고 참여, 정서적 반응 및 상호 작용 역학의 변화를 기록해야 합니다.
설문조사 및 설문지입니다. 각 세션 전후에 간단한 설문조사를 사용하여 즉각적인 반응과 기분 또는 관점의 변화를 측정합니다. 여기에는 참가자의 읽기 자료 즐거움, 감정 상태 및 얻은 통찰력에 대한 질문이 포함될 수 있습니다.

정기적 종합 설문조사입니다. 정기적인 간격(예: 월별 또는 분기별)으로 보다 자세한 설문조사를 실시하여 프로그램에 대한 참가자 경험 및 만족도의 폭넓은 추세를 평가합니다.
피드백 양식입니다. 익명성을 보장한 참가자들이 익명 피드백을 제출할 수 있는 기회를 제공합니다. 이는 특히 참가자들이 공개적으로 말하기를 꺼릴 수 있는 우려 사항이나 비판이 있는 경우 더욱 정직하고 개방적인 응답을 장려할 수 있습니다.
프로그램 효율성 평가입니다. 정성적인 방법을 사용합니다. 참가자들이 읽은 내용과 정서적, 인지적 반응을 반영할 수 있는 일지를 보관하도록 권장합니다. 이러한 저널을 검토하면 프로그램이 개인적으로 미치는 영향에 대한 깊은 통찰력을 얻을 수 있습니다. 진행자는 참가자와의 관찰 및 상호 작용을 정기적으로 문서화해야 합니다. 이러한 보고서는 개인의 진행 상황과 행동이나 태도의 주목할 만한 변화를 강조할 수 있습니다. 정량적 방법으로는 표준화된 심리 및 인지 평가 도구를 사용하여 스트레스 수준, 불안, 우울증, 인지 기능과 같은 영역의 변화를 측정합니다. 예를 들어 우울증에 대한 Beck Depression Inventory(BDI) 또는 불안에 대한 State-Trait Anxiety Inventory(STAI)가 있습니다.
프로그램 사전 및 사후 평가입니다. 프로그램 시작과 종료 시 평가를 실시하여 시간 경과에 따른 변화를 측정합니다. 프로그램 전후 데이터를 비교하면 프로그램 효과에 대한 객관적인 증거를 얻을 수 있습니다.

데이터 분석 및 프로그램 조정으로 데이터 분석입니다.
저널, 인터뷰, 피드백 양식의 정성적 데이터를 분석하여 참가자의 감정 및 인지 상태에 대한 공통 주제와 중요한 변화를 식별합니다.
정량적 데이터 분석입닏. 통계적 방법을 사용하여 설문조사 및 표준화된 평가의 정량적 데이터를 분석합니다. 추가 주의가 필요할 수 있는 추세, 개선 사항 및 영역을 찾아야합니다.
피드백을 기반으로 한 조정으로 피드백과 평가 결과에 따라 읽기 목록, 세션 구조 또는 향상 방법을 조정합니다. 예를 들어, 참가자들이 특정 주제를 너무 괴로워한다면 대체 자료를 선택하는 것을 고려해보아야합니다. 또한, 피드백과 평가 결과를 정기적으로 사용하여 프로그램을 개선하고 향상시키는 지속적인 개선 주기를 구현합니다.
마무리로 결과 보고입니다.
참가자 진행 보고서 작성입니다. 참여, 피드백 및 관찰된 개선 사항을 요약한 정기적인 진행 보고서를 참가자에게 제공합니다. 이는 참가자들에게 실질적인 진행 상황을 보여줌으로써 동기를 부여할 수 있습니다.
전반적인 프로그램 결과를 참가자들과 공유하여 공동체 의식과 공동 성취감을 함양합니다. 이해관계자(예: 프로그램 자금 제공자, 정신 건강 전문가 또는 교육 기관)를 위해 프로그램의 효율성, 과제 및 개선 영역을 요약한 자세한 보고서를 준비합니다. 독서치료와 독서치료의 더 넓은 분야에 기여하기 위해 회의나 전문적인 환경에서 연구 결과를 발표하는 것을 고려보아야합니다. 강력한 피드백과 평가 프로세스를 구현함으로써 독서 치료 프로그램은 지속적으로 적응하고 개선되어 참가자의 요구를 효과적으로 충족하고 치료 목표를 달성할 수 있습니다.

독서치료 프로그램의 효과 검증

연구사례 : 독서치료의 실험적 증거

사람들이 슬프거나 겁이 나거나 속상할 때 책을 읽는 것이
어떻게 기분을 좋게 만드는 데 도움이 되는지 이야기해 봅시다.
독서가 다양한 그룹의 사람들에게 도움됩니다.
일부 과학자들은 특별한 책을 읽는 것이 우울을 느끼는
성인에게 도움이 될 수 있는지 확인하고 싶었습니다.
긍정적으로 생각하도록 돕는 이야기와 연습이 담긴 책을
어른들에게 주었습니다. 이 책을 읽은 후 어른들의 기분은 훨씬
좋아지고 슬픔도 덜해졌습니다. 독서가 우울증에 효과가 있다는
연구는 다음과 같습니다.
1. 성인 우울증을 위한 독서치료
우울증에 대한 인지독서치료 연구에서 경도에서 중등도의
우울증이 있는 성인을 대상으로 인지 독서 요법의 효과를
평가합니다.
연구방법은 이 메타 분석에는 인지 독서 요법을 대조군(대기자
명단 또는 위약)과 비교한 여러 무작위 대조 시험(RCT)이
포함되었습니다. 참가자들에게는 인지행동치료(CBT) 원리에
기초한 자조 서적이 제공되었습니다.
분석 결과, 인지 독서 요법은 대조군에 비해 우울증 증상을
줄이는 데 유의미하고 긍정적인 효과가 있는 것으로

나타났습니다. 효과 크기는 중간 정도였으며 이는 의미 있는 임상적 개선을 나타냅니다.
인지 독서 요법은 경증에서 중등도의 우울증을 앓고 있는 성인에게 효과적인 저강도 중재가 될 수 있으며, 특히 전통적인 치료법에 접근할 수 없는 경우에는 더욱 그렇습니다.

2. 어린이 불안을 위한 독서치료
어린이와 청소년의 우울증과 불안에 대한 전산화된 CBT 파일럿 무작위 대조 시험의 결과 및 피드백. 행동 및 인지 심리치료연구입니다.
연구 목적은 불안이 있는 어린이와 청소년을 위한 독서 요법의 한 형태인 컴퓨터 CBT의 효능을 조사하는 것이였습니다.
연구방법은 이 예비 RCT에서 불안 장애가 있는 아동 및 청소년은 컴퓨터화된 CBT 프로그램 또는 표준 치료를 받는 대조군에 배정되었습니다. 이 프로그램에는 흥미로운 텍스트와 활동을 통해 제시되는 다양한 인지행동치료(CBT) 기술이 포함되었습니다.
연구 결과로는 전산화된 인지행동치료(CBT) 그룹의 어린이는 대조군에 비해 불안 증상이 크게 감소한 것으로 나타났습니다. 참가자와 학부모의 피드백은 일반적으로 긍정적이었으며 프로그램의 유용성과 참여도가 강조되었습니다.
결론은 컴퓨터 독서치료는 어린이와 청소년의 불안을 줄이는 데 효과적인 도구가 될 수 있으며, 기존 치료 방법에 대한 접근 가능하고 매력적인 대안을 제공합니다.

3. 트라우마로 인한 인지 왜곡
매우 무섭거나 속상한 경험(사고나 재난 등)을 겪은 사람들에게 일어난 일에 대한 자신의 감정과 이야기를 적어 달라고 요청한 또 다른 연구가 있었습니다. 이러한 이야기를 쓰는 것은 시간이 지남에 따라 기분이 좋아지고 두려움이 줄어드는 데 도움이 되었습니다. 외상후 스트레스 장애(PTSD)를 위한 독서 요법 연구입니다. 연구 목적은 외상후스트레스장애(PTSD) 환자를 위한 서술형 독서치료의 치료적 이점을 연구합니다. 이 연구에서는 외상후스트레스장애(PTSD) 참가자에게 여러 세션에 걸쳐 자신의 충격적인 경험에 대해 글을 쓰도록 요청하는 내러티브 접근 방식을 활용했습니다. 중재는 구조화된 글쓰기를 통해 그들의 생각과 감정을 처리하고 정리하는 데 도움을 주기 위해 고안되었습니다.
결과적으로 서술형 글쓰기에 참여한 참가자는 대조군에 비해 외상후스트레스장애(PTSD) 증상과 전반적인 심리적 안정이 크게 개선된 것으로 나타났습니다. 후속 평가에서는 시간이 지나도 지속적인 이점이 있는 것으로 나타났습니다.
결론은 내러티브 독서 요법은 외상후스트레스장애(PTSD) 환자에게 강력한 도구가 될 수 있으며, 외상 경험을 이해하고 정신 건강을 개선하는 데 도움이 됩니다.
따라서 모험을 떠나거나 새로운 것을 배우기 위해 책을 읽는 것과 마찬가지로, 읽고 쓰는 것도 슬프거나 두렵거나 화가 났을 때 기분이 나아지는 데 도움이 될 수 있습니다.

장기적 효과 : 독서치료의 지속성

독서 치료가 긍정적으로 생각하고 문제를 해결하는 데 어떻게 도움이 됩니까?라는 생각이 듭니다. 먼저 독서 치료는 긍정적인 사고는 사물의 밝은 면을 바라보고 희망을 갖는 것을 의미합니다. 독서 치료는 다음과 같은 몇 가지 방법으로 긍정적으로 생각하는 법을 배우는 데 도움이 됩니다.우리는 행복한 이야기를 읽고 등장인물이 문제에 직면했지만 행복한 해결책을 찾는 이야기를 읽으면 우리에게도 좋은 일이 일어날 수 있다는 믿음을 갖게 됩니다. 극 중 캐릭터로부터 배울 수 있습니다. 긍정적으로 생각하고 문제를 극복하는 캐릭터의 이야기를 읽으면 그들처럼 생각하는 법을 배울 수 있습니다. 이는 우리를 더욱 희망적이고 자신감 있게 느끼게 합니다.
두 번째로 문제 해결능력입니다. 어려운 상황에 대처할 방법을 찾는 것을 의미합니다. 독서 치료는 다음과 같은 방법으로 문제 해결 능력을 향상하는 데 도움이 됩니다. 책은 등장인물이 문제에 직면하고 해결하는 모습을 보여줍니다. 그들이 어떻게 하는지 읽으면서 우리는 우리 자신의 문제를 해결하는 방법에 대한 아이디어를 얻습니다. 여기서 우리 자신의 문제와 그 문제를 해결할 수 있는 방법에 대해 쓸 때 우리는 문제를 처리하는 다양한 방법을 생각하는 연습을 합니다. 독서치료는 일회성으로 끝나는 것이 아닙니다. 다음과 같은 이유로 오랫동안 우리에게 도움이 되었습니다.
긍정적인 사고와 문제 해결에 대해 읽고 쓰면 이러한 감정과 능력이 향상됩니다. 일단 배우면 언제든지 사용할 수 있습니다.

또한 자신의 감정과 문제에 대해 글을 쓰면 자신을 더 잘 이해하는 데 도움이 됩니다. 이렇게 하면 향후 문제를 더 쉽게 처리할 수 있습니다. 책과 글쓰기 도구를 항상 사용할 수 있으므로 활력이 필요할 때마다 독서 요법을 계속 사용할 수 있습니다.

결론은 독서치료는 우리가 보다 긍정적으로 생각하고 문제를 더 잘 해결하도록 도와줍니다. 행복한 이야기를 읽고 등장인물로부터 배우면서 우리는 우리에게도 좋은 일이 일어날 수 있다고 믿기 시작합니다. 또한 캐릭터가 문제를 어떻게 해결하는지 보고 자신의 문제에 대해 글을 쓰면서 문제를 더 잘 처리할 수 있습니다. 가장 좋은 점은 우리가 배운 기술을 유지하고 도움이 필요할 때 언제든지 책과 글쓰기를 할 수 있기 때문에 이러한 혜택이 오랫동안 지속된다는 것입니다.

두 번째로 우리가 하는 자기성찰이란 무엇인가요?라는 질문입니다.

자기 성찰은 우리 자신의 생각, 감정, 행동에 대해 생각하는 것입니다. 이는 우리 자신을 더 잘 이해하고 경험을 통해 배우는 데 도움이 됩니다.

독서 치료 또는 독서 요법은 책과 글쓰기를 사용하여 기분이 좋아지고 자신을 이해하도록 돕습니다. 우리는 이야기를 읽고, 이야기를 쓰면서 우리의 감정을 알 수 있도록 할 수 있습니다.

1. 이야기 읽기
인물 관련: 우리는 이야기를 읽을 때 등장인물이 우리와 비슷한 경험을 하는 것을 종종 봅니다. 이는 우리 자신의 삶과 상황을 처리하는 방법에 대해 생각하는 데 도움이 됩니다. 또한 캐릭터가 문제를 어떻게 처리하는지 읽어보면 유사한 문제를 어떻게 처리할 수 있는지 생각해 볼 수 있습니다. 이는 우리에게 새로운 아이디어와 관점을 제공합니다.
2. 우리만의 이야기 쓰기
자신의 생각과 감정에 대해 글을 쓰는 것은 우리 안에 있는 것을 표현하는 데 도움이 됩니다. 이렇게 하면 기분이 좋아지고 감정을 더 명확하게 이해할 수 있습니다. 또한 우리의 경험에 대해 글을 쓸 때 우리는 무엇을 했는지, 왜 그렇게 했는지, 다음에 어떻게 다르게 할 수 있는지 생각해 볼 수 있습니다.
독서치료가 우리에게 계속 도움이 되는 이유를 살펴보도록 하겠습니다.
독서치료는 단지 빠른 해결책이 아닙니다. 시간이 지나도 계속 도움이 되는 이유는 다음과 같습니다.
루틴적인 일상을 만들어 갈 수 있습니다. 정기적으로 읽고 쓰기를 통해 자기 성찰을 습관화합니다. 이는 우리가 계속해서 자신에 대해 배우고 성장한다는 것을 의미합니다. 새로운 책을 읽거나 글쓰기 연습을 할 때마다 우리 자신을 더 잘 성찰하고 이해할 수 있는 더 많은 기회가 제공됩니다.
우리는 필요할 때마다 책과 글쓰기 도구가 항상 준비되어 있습니다. 우리는 우리 자신을 더 잘 반성하고 이해하고 싶을 때 언제든지 그들에게 의지할 수 있습니다.
여기서 우리는 독서를 통해 더 많이 읽고 쓸수록 더 많이 성장합니다. 이러한 개인적인 성장은 우리가 미래의 과제를 더 잘 처리하는 데 도움이 됩니다.
따라서 독서치료는 우리 자신을 성찰하고 우리의 생각, 감정, 행동을 이해하는 데 도움이 됩니다. 이야기 속 등장인물과 관련을 맺고 우리 자신의 경험에 대해 글을 쓰면서 우리는 계속 배우고 성장할 수 있습니다. 이러한 자기 성찰 과정은 습관이 되고, 우리가 사용하는 도구는 항상 사용할 수 있으므로 독서 요법은 시간이 지남에 따라 우리의 정신적, 정서적 안정을 향상시킬 수 있는 지속 가능한 방법이 됩니다.

다양한 대상을 위한 맞춤형 독서치료 프로그램

노인 : 인지기능과 사회적 연결

독서치료가 노인에게 좋은 이유는 5가지로 나눠 살펴볼 수 있습니다.

1. 인지 자극 및 정신 선명도

나이가 들수록 두뇌를 계속 활동시키는 것이 중요합니다. 정기적으로 독서를 하면 인지 기능을 유지하는 데 도움이 되는 정신 운동이 가능해집니다. 독서를 통해 이야기와 정보에 참여하면 기억력 유지 및 회상 능력이 향상됩니다. 책을 읽다보면 도전에 직면한 캐릭터에 대해 읽고 문제를 해결하는 것은 노인의 비판적 사고와 문제 해결 능력을 자극할 수 있습니다.

2. 정서적 안정

독서는 진정 활동으로 작용하여 스트레스 수준을 낮추고 휴식을 향상할 수 있습니다. 또한 책은 복잡한 감정과 경험을 연구하는 경우가 많으므로 노인들이 안전하고 지지적인 방식으로 자신의 감정과 경험을 성찰할 수 있습니다. 시간의 흐름에 따라 사랑하는 사람을 잃거나 건강상의 변화에 대처하고 있는 노인들에게 독서는 위로와 정서적 지원을 제공할 수 있습니다.

3. 사회적 연결 및 참여

북클럽이나 독서 그룹에 참여하면 사회적 교류와 의미 있는 토론의 기회를 얻을 수 있습니다. 사회활동으로 다른 사람들과 책을 읽고 토론하면 공동체 의식과 경험 공유가 향상되어 외로움이나 고립감에 맞서 싸울 수 있습니다. 사회에서의 친구, 가족, 간병인과 책과 이야기를 공유하면 기존 관계를 강화하고 새로운 관계를 만들 수 있습니다.

4. 삶의 질

독서 활동에 참여하는 것은 노인들에게 목적의식과 성취감을 주며, 책은 연령에 관계없이 평생 학습과 개인 성장의 기회를 제공합니다.

또한 독서 요법은 인지 자극, 정서적 회복력, 사회적 참여를 향상함으로써 노인들의 삶의 질을 높이는 데 기여합니다.

5. 접근성 및 적응성

도서관, 서점, 온라인 자료에서는 다양한 관심과 선호도에 맞는 다양한 도서를 제공하여 노인들의 접근성을 높이고 시각 장애나 신체적 제약이 있는 노인들이 큰 활자 책, 오디오북, e-reader를 통해 독서에 접근할 수 있습니다.

또한 노인들은 자신의 개인적인 경험과 관심 사항에 맞는 독서 자료를 선택할 수 있으므로 독서 요법을 고도로 개인화된 치료 접근 방식으로 만들 수 있습니다.

이렇듯 독서치료는 인지 기능을 강화하고 정서적 안정을 지원하며 사회적 연결을 향상하고 전반적인 삶의 질을 향상시키기 때문에 노인을 위한 귀중한 치료 도구입니다.

읽기와 쓰기를 통해 노인들은 계속해서 배우고, 성장하고, 의미 있는 경험을 즐길 수 있으며, 노년기의 정신적, 정서적 건강에 기여할 수 있습니다.
노인들이 독서 요법에 참여하도록 장려함으로써 간병인, 가족 및 의료 서비스 제공자는 전체적인 안정을 향상하고 노화 경험을 향상시킬 수 있습니다.

특정 집단 : 트라우마, 중독, 재소자 등을 위한 프로그램

독서치료 프로그램은 정신적인 호전과 재활을 위해 책을 사용하는 치료적 접근 방법입니다. 이 프로그램은 주로 트라우마를 겪은 사람들, 중독 문제를 겪는 사람들, 그리고 마음에 상처가 있는 사람들에게 큰 도움이 됩니다.
독서치료는 책을 통해 감정을 이해하고 처리하는 방법을 가르쳐줍니다. 독서는 감정적인 표현을 장려하고, 자아 발견을 향상시키며, 심리적 치유에 기여할 수 있습니다. 특히 문학 작품이나 자기 도움 서적을 읽음으로써 사람들은 자신의 감정을 탐색하고, 그로 인한 변화를 경험할 수 있습니다.
재난이나 트라우마를 경험한 사람들은 자신의 경험을 반영하는 책을 읽음으로써 자신을 이해하고, 그로 인한 감정을 해소하는 데 도움을 받을 수 있습니다. 문학적인 캐릭터나 이야기를 통해 공감하고, 자신의 상처를 치유하는 과정에서 심리적 재건을 진행할 수 있습니다.
중독에 관련되서도 독서는 도움을 줍니다. 중독 문제를 겪은 사람들은 독서치료를 통해 건강한 생활 방식을 배우고, 중독의 원인과 효과에 대한 깊은 이해를 얻을 수 있습니다. 자기 발견과 변화를 위한 도구로서 독서는 중독 회복 과정에서 중요한 역할을 합니다. 예를 들어, 중독을 주제로 한 회복 과정에서 작성된 회복 자서전은 자기 치유와 다시 시작하는 데 큰 도움이 될 수 있습니다.

교도소에서 감금 생활을 이어가던 재소자들은 독서를 통해 사회적 기술을 개발하고, 자아 개발을 향상시킬 수 있습니다. 문학 작품이나 자기 개발 서적을 통해 자신의 실력을 개선하고, 사회에서의 위치를 재정립할 수 있습니다. 이는 재소자들이 사회 복귀 과정에서 자신을 이해하고, 다시 시작할 자신감을 얻는 데 중요한 역할을 합니다.

이 때 독서치료는 전문가의 지도를 받으면 더욱 효과적일 수 있습니다. 이들은 참여자가 독서를 통해 얻은 인사이트를 안전하게 탐색하고 이해하도록 도와줍니다. 그 결과, 독서치료는 사람들이 개인적인 성장과 심리적 회복을 이루는 데 도움을 주는 강력한 도구로 자리 잡고 있습니다.

독서치료 효과를 극대화하는 책의 특징

문학적 요소와 치료적 효과

매혹적인 문학의 영역에서 이야기는 즐거움 그 이상, 즉 치유의 역할을 합니다.
책은 문학적 요소와 치료 효과의 심오한 관계를 이해하고 독서치료의 효과를 극대화할 수 있도록 구성되었습니다.
스토리텔링의 핵심 구성 요소가 정서적, 심리적 안정을 어떻게 나타내는지 살펴보겠습니다.

- 캐릭터: 여행 중에 공감할 수 있는 동료

이야기 속의 등장인물은 우리 자신의 일부를 반영하는 거울 역할을 합니다. 독자들이 자신과 비슷한 어려움에 직면한 인물들과 연결될 때, 그들은 이해받고 있다는 느낌을 받고 덜 외롭습니다. 이러한 연결은 공감을 향상하고 독자가 안전한 공간에서 자신의 감정을 연구할 수 있게 해줍니다. 책에서는 풍부한 발전을 이룬 캐릭터들이 공감할 수 있는 어려움을 헤쳐나가며 독자들에게 자신의 경험을 검증하고 개인적인 성장에 영감을 주는 동맹을 제공합니다.

- 줄거리: 치유의 길 찾기

잘 짜여진 줄거리는 독자들에게 치료 과정을 반영하는 여정을 안내합니다. 이야기의 우여곡절에 참여함으로써 독자들은 실제 생활의 어려움에 대처하는 방법을 배웁니다. 책의 줄거리는 긴장, 해결, 변화의 순간을 포함하도록 세심하게 구성되어 있어 독자가 자신의 감정을 처리하고 자신의 삶에서 앞으로 나아갈 길을 구상할 수 있도록 돕습니다.

- 설정: 모험을 위한 안전한 피난처

이야기의 배경은 안전감과 편안함을 불러일으킬 수 있는 배경을 제공합니다. 아늑한 집이든, 고요한 숲이든, 분주한 도시이든, 이 설정은 독자들이 당면한 현실에서 벗어나 새로운 환경에서 위안을 찾을 수 있도록 해줍니다. 책에는 독자들이 휴식을 취하고 성찰할 수 있는 장소로 이동하여 치유에 도움이 되는 정신 공간을 만드는 연상적인 설정이 포함되어 있습니다.

- 테마: 보편적인 진실과 개인적인 통찰

테마는 깊은 수준에서 독자의 공감을 불러일으키는 기본 메시지입니다. 그들은 보편적 진리를 다루고 인간 본성과 삶의 복잡성에 대한 통찰력을 제공합니다. 책은 회복력, 희망, 자기 발견이라는 주제를 연구하여 독자들이 자신의 경험을 되돌아보고 투쟁에서 의미를 찾도록 격려합니다. 이러한 테마는 독자가 개인적인 여행을 탐색하는 데 도움이 되는 안내등 역할을 합니다.

- 언어: 치유의 말의 예술

이야기에 사용되는 언어는 위로와 영감을 주는 힘을 가지고 있습니다. 신중하게 선택한 단어는 감정을 불러일으키고, 생생한 이미지를 그리며, 편안함을 줄 수 있습니다. 이 책에서는 언어가 시적이며 접근 가능하도록 세심하게 제작되어 모든 배경의 독자가 텍스트와 연결할 수 있도록 보장합니다. 단어의 리듬과 흐름은 치료적 경험을 만들어내며, 독자가 이야기에 빠져들고 상쾌한 기분을 느끼도록 만들어줍니다.

- 상징주의: 잠재의식의 잠금 해제

상징주의는 이야기에 여러 층의 의미를 추가하여 독자가 잠재의식 수준에서 이야기에 참여할 수 있도록 합니다. 상징은 내면의 갈등, 욕구, 해결 방법을 나타내어 자신에 대한 더 깊은 이해를 제공합니다. 책에는 독자들이 숨겨진 의미를 발견하고 개인적인 여정을 성찰하도록 유도하는 풍부한 상징이 포함되어 있습니다. 상징을 해석하는 행위는 치료 활동이 될 수 있으며, 즉각적으로 명확하지 않은 통찰력을 제공할 수 있습니다.

이러한 문학적 요소를 치료적 의도와 엮음으로써 이 책은 오락의 원천을 넘어 치유의 도구가 됩니다. 독자들은 자신의 경험과 감정에 공감하는 등장인물, 줄거리, 배경, 주제, 언어, 상징을 통해 자기 발견의 여정을 시작하도록 초대됩니다. 페이지를 넘기면서 안정을 향한 자신만의 길을 탐색할 수 있는 위안과 이해, 힘을 찾을 수 있기를 바랍니다.

장르별 독서치료:소설, 시, 비문학 등

우리가 슬프거나 걱정할 때, 또는 단지 힘든 시간을 보내고 있을 때 독서를 하면 기분이 좋아질 수 있습니다. 소설, 시, 에세이 등 다양한 유형의 책이 다양한 방식으로 도움이 될 수 있습니다. 각 종류의 책이 어떻게 우리의 기분을 좋게 만드는지 살펴보겠습니다.

- 소설: 캐릭터와 함께하는 모험

소설에는 우리가 관심을 가질 수 있는 등장인물이 있습니다. 그들이 문제를 겪을 때 우리는 그들의 감정을 이해하고 우리 자신의 문제로 인해 너무 외롭다고 느끼지 않습니다.
다양한 관점 보기: 다양한 인물과 그들의 삶에 대해 읽으면 다른 사람을 더 잘 이해하는 데 도움이 됩니다. 이야기에 빠져드는 것은 걱정을 잠시 잊고 긴장을 푸는 데 도움이 됩니다. 소설을 읽고 우리는 어려움을 극복한 어린이의 이야기를 읽으면 우리는 자신의 문제를 해결하려는 의지와 희망을 갖게 됩니다.

- 시: 말 속에 담긴 감정

시는 아름다운 언어를 사용하여 감정을 이야기합니다. 그것은 우리 자신의 감정을 이해하고 그것에 대해 이야기하는 데 도움이 됩니다. 시는 짧고 강력하여 우리가 각 단어에 대해 깊이 생각하게 하고 차분하고 사려 깊은 느낌을 갖도록 도와줍니다. 시를 읽거나 쓰는 것은 우리가 그동안 숨겨왔던 감정을 내보내는 데 도움이 될 수 있습니다.
예를 들면, 슬픔에 관한 시를 읽거나 쓰면 슬픔을 이해하고 표현하는 데 도움이 되어 기분이 좋아질 수 있습니다.

- 에세이: 실제 이야기와 사실

에세이 책은 우리에게 실제 사물에 대해 가르쳐 주고 우리 자신의 문제를 더 잘 이해하도록 도와주며, 우리의 감정을 다스리는 방법을 알려줍니다.
도움받는 느낌으로 유사한 문제에 직면한 실제 사람들에 대한 이야기를 읽으면 우리는 혼자가 아니며 다른 사람들도 우리가 겪고 있는 일을 이해하고 있다는 느낌을 받을 수 있습니다.
에세이는 평온함을 유지하거나 문제를 해결하는 방법과 같이 우리의 삶을 더 좋게 만드는 유용한 아이디어를 제공할 수 있습니다.
에세이에서의 경험 예를 들면, 괴롭힘을 다룬 사람에 대한 실화를 읽으면 괴롭힘을 스스로 처리하는 방법에 대한 아이디어를 얻을 수 있고 더 자신감을 가질 수 있습니다.

- 나에게 딱 맞는 책 고르기

독서의 가장 좋은 점은 필요한 내용에 적합한 종류의 책을 찾는 것입니다.
걱정에서 벗어나고 싶으신가요? 재미있는 소설을 읽어보세요.
당신의 감정을 이해하고 싶으십니까? 시를 읽어 보세요.
문제에 대한 도움을 찾고 계십니까? 에세이 책을 확인해 보세요.
각 유형의 책은 고유한 방식으로 도움이 됩니다. 그러니, 책을 들고 독서를 통해 기분이 좋아지는 여행을 시작해 보세요! 이 단계가 독서치료의 첫 번째 단계입니다.

책의 구조와 내용 : 몰입감을 높이는요소

책을 읽을 때 어떤 것들은 우리를 이야기 속으로 들어가게 하고 더 즐겁게 만들 수 있습니다. 이것을 몰입이라고 합니다. 특히 독서치료 중에 책의 몰입도를 높이는 데 도움이 되는 몇 가지 이해하기 쉬운 요소는 다음과 같습니다.

문화적 배경에 따라 대상자의 문화적 배경을 고려하여, 그들이 이해하고 공감할 수 있는 내용의 책을 선택해야 합니다.

독서치료 프로그램은 다양한 문화적 배경을 가진 사람들에게 도움이 되는 효과적인 치료 방법입니다. 하지만 프로그램의 효과를 극대화하기 위해서는 참여자들의 문화적 배경을 고려하여 설계하는 것이 중요합니다.

- 문화적 가치관 및 믿음

일부 문화에서는 가족을 매우 중요하게 생각합니다. 따라서 독서치료 프로그램은 가족 관계 개선, 가족 역할 이해 등을 위한 자료와 활동을 포함하는 것이 좋습니다.

또한 다른 문화권에서는 종교가 중요한 역할을 합니다. 따라서 독서치료 프로그램은 종교적 텍스트, 종교적 가치를 다룬 책 등을 활용하는 것이 좋습니다. 마지막으로 교육은 매우 중요하게 생각합니다.

따라서 독서치료 프로그램은 학습 능력 향상, 독해 능력 향상 등을 위한 자료와 활동을 포함하는 것이 좋습니다.

- 사회적 규범 및 관습

성별 역할은 일부 문화에서는 남성과 여성의 역할에 대한 명확한 규범이 있습니다. 독서치료 프로그램은 성별 고정관념을 강화하지 않도록 주의해야 합니다. 남성과 여성 모두 다양한 주제에 대한 책을 읽을 수 있으며, 다양한 방식으로 학습할 수 있습니다. 의사소통 방식은 일부 문화에서는 직접적인 의사소통을 선호하는 반면, 다른 문화에서는 간접적인 의사소통을 선호합니다. 따라서 독서치료 프로그램은 참여자들의 의사소통 방식을 고려하여 활동을 구성해야 합니다. 갈등 해결 방식은 일부 문화에서는 갈등을 직접적으로 해결하는 것을 선호하는 반면, 다른 문화에서는 갈등을 피하는 것을 선호합니다. 따라서 독서치료 프로그램은 참여자들의 갈등 해결 방식을 고려하여 활동을 구성해야 합니다.

- 언어 및 문학적 전통

언어는 독서치료 프로그램은 참여자들이 이해할 수 있는 언어로 진행되어야 합니다. 다양한 언어를 사용하는 참여자가 있는 경우, 번역 서비스나 다국어 자료를 제공하는 것이 좋습니다.

일부 문화에서는 구전 전통이 강하고, 다른 문화에서는 문학적 전통이 강합니다. 독서치료 프로그램은 참여자들의 문화적 배경에 맞는 문학 작품을 활용해야 합니다.

- 문화적 다양성 존중

독서치료 프로그램은 모든 문화적 배경을 존중하는 분위기를 조성해야 합니다. 참여자들이 자신의 문화적 가치관, 믿음, 관습을 자유롭게 표현할 수 있도록 지원해야 합니다. 또한, 참여자들이 서로의 문화를 이해하고 존중할 수 있도록 돕는 것이 중요합니다.

독서치료 프로그램은 다양한 문화적 배경을 가진 사람들에게 도움이 되는 효과적인 치료 방법입니다. 위의 특성들을 고려하여 참여자들의 문화적 배경을 존중하고 이해하는 프로그램을 개발하고 운영하는 것이 중요합니다.

- 개인적 관심사

독서치료 프로그램은 참여자들의 개인적 관심사를 고려하여 설계하는 것이 중요합니다. 개인의 관심 분야와 관련된 책을 읽는 것은 흥미를 유발하고 참여를 높일 수 있으며, 또한 치료 효과를 향상시킬 수 있습니다.

- 관심 분야 파악

독서치료 프로그램을 시작하기 전에 참여자들의 관심 분야를 파악하는 것이 중요합니다.

▷ 설문 조사: 참여자들에게 그들의 관심 분야, 좋아하는 책, 좋아하는 작가 등을 질문하는 설문 조사를 진행할 수 있습니다.

▷ 인터뷰: 참여자들과 개별 면접을 진행하여 그들의 관심 분야에 대해 더 자세히 알아볼 수 있습니다.

▷ 그룹 토론: 참여자들이 그룹 토론을 통해 서로의 관심 분야를 공유할 수 있도록 돕습니다.

- 관심 분야에 맞는 자료 선정

참여자들의 관심 분야를 파악한 후에는 그들의 관심 분야에 맞는 독서 자료를 선정해야 합니다. 다양한 장르의 책들을 제공하여 참여자들이 선택할 수 있도록 하는 것이 좋습니다. 또한, 참여자들의 독서 수준을 고려하여 적절한 난이도의 책을 선택해야 합니다.

- 관심 분야 관련 활동 제공

독서 외에도 참여자들의 관심 분야와 관련된 다양한 활동을 제공하는 것이 좋습니다. 예를 들어, SF 소설을 좋아하는 참여자들에게는 SF 영화 상영회를 개최하거나, 역사 소설을 좋아하는 참여자들에게는 역사 박물관 방문 프로그램을 제공할 수 있습니다.

- 독서 공유 및 토론

참여자들이 읽은 책에 대한 경험을 공유하고 토론할 수 있는 기회를 제공하는 것이 중요합니다. 이를 통해 참여자들은 책에 대한 이해를 높일 수 있고, 서로의 관점을 배우고, 새로운 생각을 얻을 수 있습니다.

- 전문가와의 협력

참여자들의 관심 분야와 관련된 전문가와 협력하여 프로그램을 진행하는 것도 좋은 방법입니다. 예를 들어, 스포츠 소설을 좋아하는 참여자들에게는 운동 선수를 초청하여 강연을 진행하거나, 과학 소설을 좋아하는 참여자들에게는 과학자를 초청하여 토론을 진행할 수 있습니다.
독서치료 프로그램은 참여자들의 개인적 관심사를 고려하여 설계함으로써 흥미를 유발하고 참여를 높일 수 있으며, 또한 치료 효과를 향상시킬 수 있습니다.

독서치료 모임 및 온라인 커뮤니티 활용

독서 클럽과 치료 그룹의 역할

독서치료의 효과를 높이는 데에는 독서클럽과 치료그룹이 중요한 역할을 합니다. 이러한 그룹 설정은 개인이 읽은 책과 관련된 경험, 통찰력 및 감정을 공유할 수 있는 지원 환경을 제공합니다. 이러한 그룹이 어떻게 작동하고 어떤 이점을 제공하는지 살펴보겠습니다.

1. 소셜 연결 <북클럽: 함께 읽고, 함께 치유하다>
북클럽은 사람들을 모아 책에 대해 토론합니다. 책에 대한 생각과 감정을 공유하면 회원들이 유대감을 느끼고 고립감을 덜 느끼는 데 도움이 됩니다. 이러한 사회적 상호 작용은 정신 건강에 중요하며 외로움을 줄일 수 있습니다.
정기적으로 만나서 친구나 새로운 사람들과 책에 관해 이야기를 나누는 것은 우정과 공동체 의식을 형성하는 데 도움이 됩니다.

2. 다양한 관점<제3의 눈: 여러 가지 방향에서 살펴보다>
다양한 사람들이 토론에 대해 다양한 관점을 제시합니다. 다른 사람들이 이야기를 어떻게 해석하는지 들으면 우리 자신의 이해가 깊어지고 사물을 새로운 방식으로 보는 데 도움이 됩니다. 이는 책에 설명된 복잡한 감정과 상황을 처리하는데 특히 도움이 될 수 있습니다. 어떤 사람은 캐릭터의 투쟁을 회복력에 대한 교훈으로 볼 수도 있고, 다른 사람은 이를 연민의 요청으로 볼 수도 있습니다. 두 가지 관점 모두 토론을 풍성하게 합니다.

3. 독서 장려<읽는 즐거움>

독서 클럽은 독서 목표를 설정하고 회원들이 독서 일정을 따르도록 권장합니다.

함께 읽을 그룹이 있으면 책을 끝까지 읽고 계속 참여하도록 동기를 부여하여 독서를 규칙적이고 즐거운 습관으로 만들 수 있습니다.

다른 사람들이 함께 읽고 있고 다음 모임에서 그 책에 대해 토론할 것이라는 사실을 알면 바쁘거나 주의가 산만해지더라도 계속해서 읽을 수 있습니다.

4. 새로운 통찰력<책과 주제에 대한 다양한 관점에서 바라보기>

책을 도구로 사용하여 개인적인 문제를 탐색하고 치유합니다. 독서 클럽이나 참여함으로써 개인은 독서 치료 경험을 향상하고 더 큰 연결, 지원 및 개인적 성장을 찾을 수 있습니다. 이러한 그룹 설정은 독서를 정서적, 심리적 치유를 위한 강력한 도구로 만듭니다.

온라인 플랫폼과 디지털 독서치료

오늘날의 디지털 시대에 우리가 책을 읽고 위안을 찾는 방식은 진화했습니다. 온라인 플랫폼은 디지털 독서 치료를 위한 강력한 도구가 되었으며, 감정적, 정신적 치유 방법으로 독서를 사용하는 것이 그 어느 때보다 쉬워졌습니다. 온라인 플랫폼이 독서치료를 강화하고 접근성을 높이는 방법을 살펴보겠습니다.
디지털 독서치료란 무엇인가요?
디지털 독서 요법은 온라인에서 제공되는 책과 독서 자료를 사용하여 정신 건강과 안정을 개선하는 데 도움이 됩니다.
이는 전통적인 독서치료의 이점과 인터넷의 편리함 및 접근성을 결합한 것입니다.

1. 도서에 대한 쉬운 접근
온라인 플랫폼을 사용하면 언제 어디서나 방대한 도서 라이브러리에 액세스할 수 있습니다. 이러한 편리함은 필요할 때마다 자신의 감정에 대처하는 데 도움이 되는 올바른 책을 찾을 수 있음을 의미합니다. 집에 있든 이동 중이든 손끝에서 문학의 세계를 접할 수 있습니다.
Kindle, Audible, 온라인 도서관과 같은 플랫폼에서는 소설, 자기계발서, 시를 비롯한 다양한 도서에 즉시 찾아볼 수 있습니다.

2. 다양한 독서 자료
온라인 플랫폼은 전자책과 오디오북부터 기사와 블로그에 이르기까지 다양한 독서 자료를 제공합니다. 다양성은 귀하의 필요와 선호도에 가장 적합한 형식을 선택할 수 있다는 것을 의미하며, 이를 통해 독서를 더욱 즐겁고 효과적으로 만들 수 있습니다.
이야기를 듣는 데 편안함을 느낀다면 Audible과 같은 플랫폼의 오디오북이 좋은 선택이 될 수 있습니다. 빠른 읽기와 조언을 위해 블로그와 기사를 온라인에서 쉽게 이용할 수 있습니다.
3. 커뮤니티 및 지원
많은 온라인 플랫폼에는 독자들이 서로 연결하고, 생각을 공유하고, 서로 지원할 수 있는 커뮤니티가 있습니다. 독서 커뮤니티의 일원이 되면 정서적 지원과 소속감을 얻을 수 있습니다. 독서 경험을 공유하고 다른 사람들과 책에 대해 토론하는 것은 매우 치료적일 수 있습니다.
Goodreads 및 온라인 독서 클럽과 같은 웹사이트를 통해 독자는 도서에 대해 토론하고 추천을 공유하며 비슷한 관심사를 가진 다른 사람들과 연결할 수 있습니다.
4. 맞춤형 추천
온라인 플랫폼은 알고리즘을 사용하여 독서 기록과 선호도를 바탕으로 도서를 추천하는 경우가 많습니다. 맞춤 추천은 귀하의 공감을 불러일으키고 귀하의 특정 요구 사항을 해결할 가능성이 가장 높은 책을 찾는 데 도움이 됩니다.

Amazon 및 Goodreads와 같은 서비스에서는 이전에 읽은 내용을 바탕으로 책을 추천하므로 현재 감정 또는 정신 상태에 도움이 될 수 있는 제목을 더 쉽게 찾을 수 있습니다.

5. 전문적인 지도

일부 온라인 플랫폼에서는 독서 여정을 안내해 줄 전문 치료사 및 상담사에 대한 액세스를 제공합니다. 전문적인 지도는 귀하가 읽는 책이 귀하의 특정 문제에 효과적인지 확인하고 치유에 대한 보다 목표화된 접근 방식을 제공합니다.

맞춤도서 및 감정도서와 같은 독서치료사가 치료의 일부로 특정 책을 추천할 수 있는 온라인 치료 세션을 제공합니다.

디지털 독서치료의 이점으로 언제 어디서나 책에 액세스하여 바쁜 생활에 딱 맞는 독서를 즐겨보세요. 전자책, 오디오북, 기사 등 중에서 다양하게 선택하여 자신에게 가장 적합한 것을 찾으세요. 귀하의 관심사와 경험을 공유하는 다른 사람들과 연결하여 상호 지원을 제공합니다. 귀하의 필요와 선호도에 맞는 도서 추천을 받으세요.독서 치료에 도움이 되는 전문가의 조언을 받아보세요.

온라인 플랫폼은 독서치료를 더욱 접근 가능하고 다양하며 효과적으로 변화시켰습니다. 탈출할 소설, 안내할 자조 서적, 여정을 공유할 커뮤니티를 찾고 있다면 디지털 독서치료는 손끝에서 풍부한 리소스를 제공합니다. 디지털 페이지의 치유력을 받아들이고 온라인 플랫폼이 정신적, 정서적 안정을 어떻게 지원할 수 있는지 알아보세요.

커뮤니티 사례연구 : 성공적인 독서치료 모임

영미권 커뮤니티 사례 연구 3개의 성공적인 독서치료 그룹을 살펴보겠습니다.
독서치료 그룹은 사람들이 함께 모여 정신적, 정서적 안정성을 향상시키기 위한 방법으로 책을 읽고 토론하는 커뮤니티입니다.
다음은 회원들에게 긍정적인 영향을 미친 성공적인 독서치료 그룹의 세가지 예입니다.

1. Healing Pages Club
위치: 미국 뉴욕
Healing Pages Club은 일주일에 한 번 지역 도서관에서 모임을 갖는 커뮤니티 그룹입니다. 이 책은 사람들이 스트레스, 불안, 우울증을 다루는 데 도움이 되는 책의 잠재력을 본 치료사에 의해 시작되었습니다.
성공 요인으로 전문적인 지도입니다. 이 그룹은 특정 감정 및 정신 건강 문제를 다루는 책을 선택하는 치료사가 주도합니다. 이는 읽기 자료가 매력적이고 치료적이라는 것을 보장합니다.
두 번째, 지원 환경입니다. 회원들은 책과 자신의 삶에 대한 생각과 느낌을 안전하게 공유할 수 있습니다. 지지적인 분위기는 그룹 간의 신뢰와 동지애를 구축하는 데 도움이 됩니다.
세 번째, 대화형 토론입니다. 각 회의에는 그룹 토론, 책과 관련된 활동 및 개인 묵상이 포함됩니다. 이러한 대화형 접근 방식은 회원들이 자료 및 서로 연결하는 데 도움이 됩니다. 독서치료클럽으로 인해 Healing Pages Club회원들은 정서적 여정에서 고립감을 덜 느끼고 더 많은 지원을 받는다고 보고합니다. 많은 사람들이 자신의 문제에 대처하는 새로운 방법을 찾았으며 그룹을 통해 의미 있는 우정을 쌓았습니다.

2. Resilient Readers Network
위치: 영국 런던(온라인)
Resilient Readers Network는 세계 각지의 사람들을 연결하는 온라인 독서치료 그룹입니다. 이는 코로나19 팬데믹 기간 동안 사람들이 고립과 불확실성의 어려움에 대처할 수 있도록 돕기 위해 시작되었습니다.
성공 요인으로는 첫 번째, 접근성입니다. 온라인 그룹이기 때문에 사람들이 어디에서나 참여할 수 있으므로 현지 독서치료 옵션이 없는 사람들에게도 편리합니다.
두 번째, 다양한 선택성 존중입니다. 이 그룹은 소설, 시, 에세이를 포함한 다양한 장르를 읽습니다. 이러한 다양성은 회원들의 참여를 유지하고 감정과 경험의 다양한 측면을 연구하는 데 도움이 됩니다.
세 번째, 커뮤니티 구축입니다. 그룹은 소셜 미디어와 온라인 포럼을 사용하여 회의가 진행되는 동안 연결을 유지합니다. 이러한 지속적인 상호 작용은 공동체 의식과 지원을 강화합니다.

Resilient Readers Network 회원들은 어려운 시기에 소속감과 편안함을 찾았습니다. 온라인 형식을 통해 그들은 물리적 거리에도 불구하고 연결을 유지하고 서로를 지원할 수 있었습니다.

3. Young Minds Book Club
위치: 호주 시드니
Young Minds Book Club은 지역 청소년 센터에서 주최하는 청소년을 위한 독서치료 그룹입니다. 이 프로그램은 젊은이들이 또래 압력, 학업 스트레스, 정체성 문제와 같은 청소년기의 어려움을 헤쳐나갈 수 있도록 돕기 위해 만들어졌습니다.
성공 요인으로 연령에 적합한 책을 선정하였습니다. 청소년 소설, 청소년을 위한 자기계발서 등 청소년과 관련된 책을 읽는 그룹입니다. 이렇게 하면 자료가 관련성이 있고 매력적임을 보장합니다.
창의적인 활동입니다. 회의에는 책을 기반으로 한 일기 쓰기, 그림 그리기, 역할극과 같은 창의적인 활동이 포함됩니다. 이러한 활동은 십대들이 재미있는 방식으로 자신을 표현하고 책의 주제와 연결되도록 돕습니다.
동료 지원입니다. 이 그룹은 십대들이 자신의 생각과 감정을 공유할 수 있는 안전한 공간을 제공합니다. 동료 지원 측면은 자신감과 탄력성을 구축하는 데 중요합니다.
The Young Minds Book Club의 십대들은 정서적 안정과 사회적 기술이 향상되는 것을 보여주었습니다. 그들은 자신의 어려움 속에서 더 이해받고 외로움을 덜 느끼며, 창의적인 활동을 통해 자신을 새로운 방식으로 표현하는 데 도움이 되었습니다.
이처럼 영미권 Healing Pages Club, Resilient Readers Network, Young Minds Book Club 등 세 개의 독서 치료 그룹은 정신적, 정서적 건강을 증진시키는 독서와 공동체의 힘을 보여줍니다. 오프라인이든 온라인이든 이러한 그룹은 귀중한 지원을 제공하여 회원들이 책과 공유 경험의 도움을 받아 삶의 어려움을 헤쳐 나갈 수 있도록 돕는 결과로 나타났습니다.

아시아권 커뮤니티 사례 연구 일본과 한국의 성공적인 독서치료 그룹 살펴보겠습니다.
독서치료는 일본과 한국을 포함해 전 세계적으로 인기를 얻고 있습니다. 다음은 독서가 어떻게 정신적, 정서적 안정을 향상할 수 있는지를 강조하는 이들 국가의 성공적인 독서치료 그룹의 두 가지 예입니다.

1. Tranquil Readers Circle
위치: 일본 도쿄
Tranquil Readers Circle은 도쿄에 본사를 둔 독서치료 그룹으로 아늑한 서점에서 한 달에 두 번씩 모임을 가집니다. 사람들이 독서를 통해 치유될 수 있는 평화로운 공간을 만들고자 하는 사서와 정신건강 상담사가 시작했습니다.
성공요인으로 문화적으로 관련된 도서을 선정하였습니다. 이 그룹은 일본 문화와 경험에 공감하는 도서에 중점을 둡니다. 여기에는 현대 일본 문학, 고전 작품, 번역된 자기계발서가 포함됩니다.
두 번째로 마음챙김 연습입니다.모임은 회원들이 긴장을 풀고 독서에 집중할 수 있도록 호흡법이나 명상과 같은 짧은 마음챙김 운동으로 시작되는 경우가 많습니다.
세 번째로 성찰적 토론입니다. 그룹은 책의 주제와 감정에 대한 깊은 성찰을 장려합니다. 회원들은 개인적인 이야기와 통찰력을 공유하고 유대감과 이해심을 키우도록 초대됩니다.
Tranquil Readers Circle의 참가자들은 회의 후 차분함과 명료함을 느꼈다고 보고합니다. 문화적으로 관련된 독서와 마음챙김 실천의 결합은 스트레스를 관리하고 내면의 평화를 찾는 데 도움이 됩니다.

2. Healing Words Club
위치: 대한민국 서울
Healing Words Club은 매주 커뮤니티 센터에서 모임을 갖는 서울의 독서치료 그룹입니다. 이 단체는 그룹 환경에서 독서의 치료적 잠재력을 본 사회복지사와 문학 교수에 의해 설립되었습니다.
성공 요인으로 다양한 장르 선정입니다. 한국 소설, 시, 에세이 등 다양한 장르를 혼합하여 읽는 그룹입니다. 이러한 다양성은 세션의 참여를 유지하고 다양한 치료 요구 사항을 해결합니다.
서울은 특별히 저자와 정신 건강 전문가가 초대되어 토론을 주도하거나 강연을 하게 됩니다. 이는 독서 경험에 깊이를 더하고 전문적인 통찰력을 제공합니다.
독서로 인한 자기 감정 표현입니다. 그룹은 미술 활동과 글쓰기 활동을 통해 회원들이 독서와 관련된 감정을 표현하도록 돕습니다. 이러한 활동에는 그림 그리기, 일기 쓰기, 시 쓰기 등이 포함됩니다.
Healing Words Club의 회원들은 이 그룹이 자신의 감정을 연구하고 새로운 대처 전략을 배울 수 있는 지원적인 환경이라는 것을 알게 되었습니다. 문학적 토론과 창의적인 표현의 혼합은 정서적 안정을 증진하는 데 특히 효과적이었습니다.
아시아권에서는 일본과 한국 모두에서 Tranquil Readers Circle 및 Healing Words Club과 같은 독서 치료 그룹은 정신적, 정서적 건강을 위한 독서의 보편적 매력과 효과를 보여줍니다. 문화적으로 관련된 독서, 마음챙김 실천, 창의적인 활동을 통합함으로써 이 그룹은 회원들에게 귀중한 지원을 제공하고 책과 커뮤니티의 힘을 통해 삶의 어려움을 헤쳐 나갈 수 있도록 도움 결과로 나타났습니다.
아시아와 영미 독서치료 그룹의 공통점과 비교
공통점을 살펴보겠습니다.
- 커뮤니티 및 지원 강조

아시아 및 영미 독서치료 그룹 모두 회원들이 자신의 생각과 감정을 공유할 수 있는 지원적인 환경을 조성하는 데 우선순위를 두고 있습니다.

이러한 공동체 의식은 고립감을 줄이고 정서적 연결을 향상하는 데 도움이 됩니다.

- 전문적인 지도

위치에 관계없이 많은 그룹에는 치료사, 상담사 또는 문학 전문가와 같은 전문가가 참여합니다. 이를 통해 토론이 치료적이며 선택된 독서 자료가 회원의 정신 건강에 유익하다는 것을 보장합니다.

- 다양한 독서자료

두 지역 모두 픽션, 에세이, 시 등 다양한 장르를 활용하고 있습니다. 이러한 다양성은 회원들의 참여를 유지하고 다양한 치료 요구 사항을 해결하여 치유에 대한 보다 포괄적인 접근 방식을 제공합니다.

- 상호작용 및 성찰 활동

토론, 일기 쓰기, 창의적 표현 등의 활동은 두 환경 모두에서 공통적으로 이루어집니다. 이러한 활동은 회원들이 독서 자료와 자신의 감정을 더욱 깊이 연결하는 데 도움이 됩니다.

아시아권과 영미권의 독서치료에 대해 비교

- 책의 문화적 관련성

  -영미 그룹: 이 그룹에는 지역 및 국제의 다양한 문학 작품이 포함되는 경우가 많지만, 영어권 국가에서 널리 인식되고 접근 가능한 도서에 중점을 두는 경향이 있습니다.

  -아시아 그룹: 현지 경험에 공감하는 문화적으로 관련된 독서에 더욱 중점을 두고 있습니다. 예를 들어, 일본의

Tranquil Readers Circle은 일본 문학과 번역된 자조 서적에 중점을 둡니다.

- 마음챙김과 예술의 통합
  -영미 그룹: 일부 그룹에는 마음챙김 실천이 포함될 수 있지만 이는 보편적인 기능은 아닙니다. 그림 그리기, 글쓰기와 같은 창의적인 활동은 감정과 통찰력을 표현하는 데 더 일반적으로 사용됩니다.
  -아시아 그룹: 명상 및 호흡 운동과 같은 마음챙김 수련은 마음챙김과 전체적인 안정에 대한 문화적 강조를 반영하여 세션에 더 일반적으로 통합됩니다. 또한, 감정 표현을 돕는 미술 활동과 글쓰기 활동도 널리 퍼져 있습니다.
- 기술 및 온라인 플랫폼의 사용
  -영미 그룹: -Resilient Readers Network와 같은 온라인 독서 치료 그룹은 특히 코로나19 팬데믹과 같은 맥락에서 꽤 인기가 있습니다. 이러한 그룹은 기술을 활용하여 다양한 위치의 회원을 연결합니다.
  -아시아 그룹: 온라인 플랫폼을 사용하는 동안 서점이나 커뮤니티 센터와 같이 문화적으로 중요한 환경에서 직접 모임을 하는 경우가 많습니다. 이는 대면 상호 작용과 전통적인 모임 공간에 대한 문화적 선호를 반영합니다.

이처럼 아시아와 영미 독서치료 그룹 모두 공동체 육성, 전문적인 지도 제공, 정신 건강 증진을 위한 다양한 독서 자료 활용이라는 공통 목표를 공유하고 있습니다. 그러나 문화적 선호도와 관행을 반영하여 접근 방식에는 뚜렷한 차이가 있습니다. 아시아계 그룹은 문화적으로 관련된 문학, 마음챙김 실천, 전통적인 대면 모임을 강조하는 경향이 있는 반면, 영미계 그룹은 온라인 플랫폼과 더 광범위한 문학 장르를 활용할 가능성이 더 높습니다. 이러한 변형은 정서적, 정신적 안정을 지원하기 위해 독서치료가 어떻게 다양한 문화적 맥락에 효과적으로 맞춤화될 수 있는지를 강조합니다.

측면	공통점	차이점	
		영미권	아시아권
커뮤니티	감정 공유	정서적 지지 강조	공감, 정서적 안정 강조
전문성	전문가의 참여	독서치료 전문가가 이끄는그룹	독서 전문가가 주도하는 그룹
다양성	다양한 장르	지역 및 국제의 광범위한 독서	현지 경험에 중점도서
상호작용	창의적인 표현	그리기, 쓰기, 토론 등의 활동	표현 실천 활동
문화성	공감 도서 선정	국제 서적 선정	문화적 관련된 도서 선정
마음챙김	감정 표현 활동	창의적인 활동 집중	마음챙김, 예술 활동 통합
플랫폼	접근성을 향상	팬데믹 기간 온라인 사용	직접 모임을 선호

※영미권과 아시아권의 독서치료 그룹 간의 공통점과 차이점

개인 경험과 성장 : 사례를 통환 소개

성공 사례 : 독서치료를 통한 변화 이야기

독서치료를 통해 얻고자 하는 심리 <사회적인 불안감, 자존감 회복> 한국의 분주한 도시 서울에서 지연이라는 젊은 여성은 극심한 불안과 자기 회의에 시달렸습니다. 지연의 나날은 업무 마감일, 사회적 압박, 사사로운 불안감으로 인한 스트레스로 가득 차 있었는데, 이는 매 순간 그녀를 짓누르는 듯한 느낌이었습니다. 불안을 완화하기 위해 다양한 방법을 시도했지만 지연은 계속해서 상실감을 느끼고 자신과의 단절감을 느꼈습니다.

어느 날, 지연은 지역 주민센터 게시판을 보다가 책을 활용해 정서적 치유와 개인의 성장을 도모하는 독서치료 모임인 Healing Words Club의 전단지를 우연히 발견했다. 문학에서 위안을 찾는다는 생각에 흥미를 느낀 지연은 책이 자신이 절실히 추구했던 지침과 이해를 제공할 수 있기를 바라면서 시도해 보기로 결정했습니다.

첫 만남부터 지연은 오랜만에 느껴보는 안도감과 소속감을 느꼈다. 따뜻한 사회복지사와 지식이 풍부한 문학 교수가 이끄는 힐링 워즈 클럽은 지연이 자신의 감정과 생각을 판단 없이 공개적으로 토론할 수 있는 안전한 공간을 제공했습니다. 그룹의 독서 선택은 회원들의 감정적 여정에 공감할 수 있도록 신중하게 선택되었습니다.

그들은 회복력, 정체성, 역경 극복이라는 주제를 연구하는 한국 문학을 연구했습니다. 이 주제는 지연 자신의 투쟁과 심금을 울리는 주제였습니다. 책은 지연이 자신의 삶을 성찰할 수 있는 거울이 되었고, 그녀가 새로운 명확성을 가지고 자신의 과제를 헤쳐나가는 데 도움이 되는 새로운 관점과 통찰력을 얻었습니다.
토론 외에도 Healing Words Club은 일기 쓰기, 시 쓰기와 같은 창의적인 활동을 통합했습니다. 이러한 활동을 통해 지연은 이전에는 생각하지 못했던 방식으로 자신의 감정을 표현할 수 있게 되었습니다. 글쓰기를 통해 지연는 자신의 두려움, 희망, 열망을 명확하게 표현하고 오랫동안 지연을 사로잡고 있던 불안의 층을 점차 풀어나갈 수 있는 치료 출구를 발견했습니다.
몇 주가 몇 달이 되면서 지연은 자신의 내면에서 중요한 변화를 발견했습니다. 참여자는 직장에서 자신의 생각을 표현하는 데 더 자신감을 갖게 되었고, 동료들과 더 깊은 관계를 맺게 되었습니다. 한때는 어렵게만 느껴졌던 사회적 상호작용이 진정한 연결과 이해의 기회가 되었습니다. 가장 중요한 것은 지연이 용기와 은혜로 도전에 맞서도록 힘을 실어주는 새로운 힘인 내면의 평화와 회복력을 키웠다는 것입니다.
오늘날 지연은 통찰력 있는 토론과 풍성한 독서뿐만 아니라 참여자의 두 번째 가족이 된 지원 커뮤니티를 위해 Healing Words Club에 계속 참석하고 있습니다. 참여자는 독서치료가 자기 발견과 치유의 혁신적인 여정을 안내해 주었고,

책은 이야기 이상의 것이 되었으며, 개인의 성장과 정서적 안정을 위한 강력한 도구가 되었다고 생각합니다.
독서치료를 통한 지연의 여정에서 한국의 힐링워드클럽은 단순한 독서모임을 넘어서 희망, 이해, 심오한 변화의 생명줄이 되었음을 알 수 있었습니다.

인터뷰 : 독서치료 전문가와의 대화

독서치료 전문가와의 인터뷰<Healing Words Club 독서치료 담당자와 함께>
인터뷰: 오늘 우리는 독서치료의 변화시키는 힘에 대해 알아보기 위해 독서치료 전문가와 이야기를 나누는 즐거운 시간을 가졌습니다. 우리와 함께해주셔서 감사합니다.
독서치료에 수반되는 것이 무엇인지 청중들과 공유해 주실 수 있나요?
독서치료 전문가: 저를 초대해 주셔서 감사합니다. 독서치료는 개인이 직면할 수 있는 정서적, 심리적, 심지어 영적인 어려움을 해결하도록 지원하는 수단으로 책, 시, 에세이 등의 문학을 활용하는 치료 접근 방식입니다. 치유와 개인적 성장을 향상하기 위해 말과 이야기의 힘을 사용하는 것입니다.
인터뷰: 흥미롭네요. 독서치료가 실제로 어떻게 작동하는지 설명할 수 있나요?
독서치료 전문가: 물론입니다. 독서치료 세션이나 그룹에서 참가자들은 자신이 겪고 있는 경험이나 문제에 공감하는 선택된 텍스트를 읽는 데 참여합니다. 그런 다음 훈련된

독서치료사가 안내하는 지원적인 환경에서 논의됩니다. 토론은 참가자들이 통찰력을 얻고, 다양한 관점을 연구하고, 자신의 과제를 반영하는 캐릭터 및 주제와 연결되도록 돕고 있습니다.
인터뷰: 깊은 몰입감을 느낄 수 있는 경험인 것 같습니다. 독서치료의 영향을 보여주는 귀하의 실천 성공 사례를 공유해 주시겠습니까?
독서치료 전문가: 물론이죠. 기억에 남는 사례 중 하나는 한국 서울 출신의 20대 여자분, 지연과 관련된 것입니다. 지연은 직장생활과 대인관계로 인한 압박으로 인해 극심한 불안과 자기 회의에 시달렸습니다. 내가 진행한 독서치료 그룹인 Healing Words Club을 통해 지연은 회복력과 개인의 정체성이라는 주제를 연구하는 한국 문학에서 위안을 찾았습니다.
인터뷰: 정말 설득력 있는 내용이네요. 지연과 그녀와 같은 사람들을 지원하기 위해 Healing Words Club에 어떤 구체적인 활동을 포함시켰습니까?
독서치료 전문가: 그룹의 감정적 여정에 공감하는 책과 시를 선택하여 그들의 생각과 감정을 공유할 수 있는 성찰의 공간을 제공했습니다. 일기 쓰기, 시 쓰기 등 창의적인 활동을 통해 지연을 포함한 참가자들은 자신을 새로운 방식으로 표현하고 개인적인 통찰력과 정서적 해방을 키울 수 있었습니다.
인터뷰: 독서치료를 통한 진행은 어떻게 전개되었나요?
독서치료 전문가: 시간이 지나면서 직업적으로나 개인적으로 자신을 표현하는데 자신감을 갖게 되었습니다. 그녀는 자신의

강점과 과제에 대해 더 깊이 이해하게 되었고, 이를 통해 삶의 복잡성을 더 큰 회복력으로 헤쳐나갈 수 있는 힘을 얻었습니다. 그룹 내의 지원 커뮤니티는 그녀의 변화에 중요한 역할을 했으며, 그 과정에서 공감, 이해, 격려를 제공했습니다.

인터뷰: 독서치료가 개인의 삶에 지대한 영향을 미칠 수 있다는 것은 분명합니다. 마지막으로, 독서치료를 개인적 성장과 치유의 수단으로 고려하는 사람에게 어떤 조언을 해주시겠습니까?

독서치료 전문가: 제가 조언하는 것은 열린 마음과 마음으로 독서치료에 접근하라는 것입니다. 개인의 경험에 공감할 수 있는 다양한 장르와 테마를 탐색해 보세요. 그리고 자기 성찰과 표현을 장려하는 토론과 활동에 기꺼이 참여하십시오. 여기서 가장 중요한 것은 그 과정에 대한 신뢰입니다. 책은 치유와 개인적 변화를 향한 내면의 여정을 통해 우리를 안내하는 독특한 방법을 가지고 있습니다.

인터뷰: 독서치료의 세계에 대한 귀하의 전문 지식과 통찰력을 공유해 주셔서 정말 감사드립니다. 지연의 여정과 치유를 향상하는 문학의 강력한 역할에 대해 듣는 것은 얻었습니다.

독서치료 전문가: 천만에요. 이 영향력 있는 치료 접근법에 대해 논의하게 되어 기뻤습니다. 나는 이것이 다른 사람들이 자신의 삶에서 책의 치유 잠재력을 연구하도록 영감을 주기를 바랍니다.

자전적 에세이 : 독서로 인한 개인적 성장

책 페이지를 통해 나 자신 찾기<개인적 성장의 여정>
어렸을 때 나는 항상 책의 마법에 매료되었습니다. 그것은 단지 종이에 적힌 이야기가 아니었습니다. 그것은 무엇이든 가능하고, 캐릭터가 도전에 직면하고 더욱 강해지며, 꿈이 날아오르고 감정이 깊어지는 세계로 통하는 관문이었습니다. 그 당시에는 이 책들이 단순한 오락 그 이상이 될 것이라는 사실을 거의 알지 못했습니다. 책들이 저의 개인적인 성장 여정을 심오한 방식으로 형성하게 될 것이라는 사실은 거의 알지 못했습니다.
자라면서 저는 종종 상실감을 느끼게 만드는 불안감과 불확실성에 직면했습니다. 나는 나 자신을 이해하고 삶의 복잡성을 헤쳐 나가기 위해 애썼습니다. 책이 나의 확고한 동반자가 된 것은 바로 이러한 불확실성의 순간이었습니다. 소설에서 나는 나의 두려움과 열망을 반영하고 나와 공감하는 딜레마와 씨름하는 인물을 발견했습니다.
나에게 깊은 영향을 준 첫 번째 책 중 하나는 용기와 회복력에 관한 고전적인 이야기였습니다. 역경을 극복하는 주인공의 여정을 통해, 도전은 장애물이 아니라 성장의 기회라는 것을 배웠습니다. 페이지를 넘길 때마다 나는 새로운 관점을 얻게 되었고, 내가 가지고 있는지도 몰랐던 내면의 힘을 발견하게 되었습니다.
문학에 대해 더 깊이 파고들면서 나는 익숙한 영역을 넘어서는 장르를 연구하기 시작했습니다. 나는 시의 모든 행이 내 영혼에 직접적으로 말하는 것처럼 보였고, 표현하기 힘든 감정을 풀어냈습니다. 시는 나의 안식처가 되었습니다. 그곳은 내가 마음을 토로하고 말의 아름다움 속에서 위안을 찾을 수 있는 곳이었습니다.
에세이 책도 내 개인적인 성장 여정에 중요한 역할을 했습니다. 그들은 자기 개선에서 마음챙김에 이르기까지 다양한 주제에 대한 실용적인 지혜와 통찰력을 제공했습니다. 여러 가지 테마도서는 제가 더 큰 자기 인식을 할 수 있도록 안내하고 안정을 키우는 습관을 기르는 데 도움이 되는 디딤돌이 되었습니다.
저의 독서 여정에서 가장 변혁적인 측면 중 하나는 독서 클럽에 가입한 것이었습니다. 여기에서 저는 문학에 대한 열정과 개인적 성장에 대한 열망을 공유하는 공동체를 찾았습니다. 우리는 함께 우리의 관점에 도전하고 활발한 토론을 했으며 우리 자신과 주변 세계에 대한 이해를 심화시키는 책을 찾았습니다. 독서 클럽 내의 동지애와 지원은 제가 취약성을 포용하고, 내 생각을 공개적으로 공유하고, 다른 사람들의 경험으로부터 배울 수 있도록 격려했습니다.
개인적 성장의 여정에서 내가 접한 가장 영향력 있는 책 중 하나는 빅터 E. 프랭클(Viktor E. Frankl)의 "인간의 의미 탐색" 이었습니다 . 일부는 회고록이고 일부는 심리학적 연구인 이 심오한 작업은 회복력과 목적에 대한 나의 이해를 도왔습니다. "의미를 찾는 인간의 연구"에서 정신과 의사이자 홀로코스트생존자인 빅터 프랭클은 나치 강제 수용소에서의 참혹한 경험과 극한 상황에서 인간의 행동에 대한 관찰을 공유합니다. 프랭클은 자신의 이야기와 다른 사람들의 이야기를 통해 상상할 수 없는 고통 속에서도 삶의 의미를 찾는 것이 어떻게 생존과 행복에 필수적인지 보여줍니다.
이 책은 저에게 하나의 구원이였습니다. 상징적인 의미에 대한 프랭클의 연구, 즉 인간 존재의 주요 같은사람은 쾌락이나 권력이 아니라 우리가 의미 있다고 생각하는 것을 추구하는 것이라는 생각은 내 마음 속에 깊은 감동을 주었습니다. 우리는 상황을 항상 통제할 수는 없지만 태도를 선택하고 경험에서 의미를 찾을 수 있는 힘이 있다는 것을 배웠습니다.
프랭클의 통찰력은 나 자신의 어려움을 재구성하는 데 도움이 되었고, 내가 직면한 모든 도전에서 의미와 목적을 찾도록 격려했습니다. 희망과 회복력에 대한 그의 메시지는 제가 가장 어두운 순간을 헤쳐나갈 수 있도록 안내하는 등대가 되었습니다. 고통은 변화를 가져올 수 있고 고통 속에서도 의미를 찾을 수 있는 힘이 있다는 생각은 나에게 인내하고 성장할 수 있는 힘을 주었습니다.
설득력 있는 이야기와 심오한 지혜가 담긴 이 책은 나에게 영감을 주었을 뿐만 아니라 내 삶의 여정에 계속 영향을 미치는 목적의식과 내면의 힘을 심어주었습니다. 이는 문학의 힘과 지속적인 인간 정신에 대한 의미입니다.
수년 동안 책은 나의 멘토이자 동반자이자 안내자였습니다. 저를 다양한 문화와 관점에 몰입시켜 공감 능력을 가르쳐

주었습니다. 역경을 이겨낸 이야기를 통해 나에게 회복력을 보여주었습니다. 내 상상력을 자극하고 내 시야를 넓혀주었습니다.
오늘, 독서를 통해 저의 개인적 성장의 여정을 되돌아보며 책이 주는 변화의 힘에 감사드립니다. 그들은 내 지성을 풍요롭게 했을 뿐만 아니라 내 영혼에도 자양분을 공급해 주었습니다. 그들은 나에게 삶의 도전에 맞서는 용기, 불확실성을 헤쳐나가는 지혜, 그리고 다른 사람들과 깊이 연결되는 연민을 갖게 해주었습니다.
마지막으로 나는 호르헤 루이스 보르헤스(Jorge Luis Borges)의 다음과 같은 말을 떠올렸습니다. "나는 파라다이스가 일종의 도서관이 될 것이라고 항상 상상해 왔습니다." 실제로 나에게 천국은 단순한 장소가 아니라 존재의 상태입니다. 책이 무한한 가능성의 문을 열어주고 페이지를 넘길 때마다 개인적 성장이 꽃피는 곳입니다.

새로운 삶의 시작 : 긍정적 변화, 희망, 기대

독서치료로 인한 생활 변화

독서치료는 인생에 지대한 영향을 미쳤고, 내가 도전을 헤쳐나가고 내 주변 세계를 인식하는 방식을 변화시켰습니다. 독서를 통해 나는 내 개인적 성장에 중요한 영향을 미친 자기 발견과 정서적 탄력성을 향한 길을 발견했습니다.
독서치료의 가장 강력한 측면 중 하나는 나 자신의 생각, 감정, 행동에 대한 통찰력을 제공하는 능력입니다. 내 경험과 유사한 주제를 연구하는 책을 읽을 때 나는 종종 등장 인물과 그들의 투쟁에 공감하는 것을 발견합니다. 이러한 식별은 나 자신을 더 잘 이해하고 내 감정을 확인하는 데 도움이 되며 결과적으로 고립감을 줄여줍니다.
또한, 역경을 극복한 캐릭터에 대한 글을 읽으면서 회복력에 대한 귀중한 교훈을 얻었습니다. 가상 또는 실제 주인공이 도전에 직면하고, 좌절에 적응하고, 궁극적으로 더 강해지는 모습을 보면서 저는 제 삶에서 더욱 탄력적인 사고방식을 채택하도록 영감을 받았습니다. 독서치료는 내가 어려움에 직면했을 때 적용할 수 있는 새로운 대처 전략과 관점을 갖추게 해주었습니다.
중요한 것은 감정적으로 공감하는 문학에 참여하는 것은 나에게 감정적 치유의 한 형태였습니다. 가슴 아픈 이야기를 통해 슬픔을 이겨내든, 인내의 서사에서 희망을 찾는 것이든, 책은 복잡한 감정을 탐색하고 개인적인 문제를 해결할 수 있는 안전한 공간을 제공했습니다. 이러한 감정적 처리는 나의 전반적인 안정과 정신 건강에 중요한 역할을 했습니다.
독서치료는 또한 삶과 인류에 대한 나의 관점을 넓혀주었습니다. 다양한 작가와 장르를 읽으며 다양한 문화, 신념, 세계관에 대한 통찰력을 얻었습니다. 이러한 확장된 이해는 내 안에 공감과 연민을 키워주었고, 다른 사람들과의 관계를 강화하고 다양성에 대한 감사를 깊어지게 했습니다.
아마도 가장 중요한 것은 독서치료가 나 자신의 성장과 발전에 적극적인 역할을 할 수 있도록 힘을 실어주었다는 것입니다. 이는 내 신념을 비판적으로 반성하고, 제한된 사고 패턴에 도전하고, 새로운 동기를 부여받아 개인적인 목표를 향해 노력하도록 격려했습니다. 문학의 힘을 통해 저는 제 삶에 긍정적인 변화를 가져오고 학습과 자기계발을 위한 새로운 기회를 받아들일 수 있는 힘을 얻었습니다.
본질적으로, 독서치료는 나에게 단순한 취미나 오락 그 이상이었습니다. 그것은 자기 발견, 치유, 개인적 역량 강화를 위한 힘있는 여정이었습니다. 책은 정서적 안정과 성취를 추구하는 지속적인 연구에 중요한 역할을 하며, 책이 우리 삶을 더 나은 방향으로 형성하는 데 미칠 수 있는 영향을 일깨워줍니다.

긍정적 사고와 미래 지향적 태도

독서치료는 문학의 변혁적 잠재력을 활용하여 긍정적인 사고와 목표 지향적 태도를 함양할 수 있는 강력한 경로를 제공합니다. 이 관계를 향상하는 방법은 독서치료를 통해 개인은 탄력성, 희망, 낙관주의를 강조하는 내러티브에 몰입하게 됩니다.
역경을 극복하거나 인내를 통해 목표를 달성하는 인물들의 이야기를 읽으면서 독자들은 긍정적인 사고방식을 갖도록 영감을 받습니다.
이러한 내용은 도전을 어떻게 성장의 기회로 재구성할 수 있는지 보여주는 예로서, 긍정적인 사고방식이 인생의 건설적인 결과로 이어질 수 있다는 믿음을 강화합니다.
독서치료의 독서에는 명확한 목표를 설정하고 이를 달성하기 위해 적극적인 조치를 취하는 주인공이 등장하는 경우가 많습니다. 독자들이 이러한 흐름에 참여하면서 자신의 열망을 되돌아보고 구체적인 목표를 세우도록 권장됩니다. 소설이든 에세이든 책은 목표 설정 전략, 의사 결정 과정, 장애물 극복 모델을 제공하여 독자가 영감을 행동으로 옮길 수 있도록 힘을 실어줍니다.
또한 회복력과 결단력으로 좌절을 헤쳐나가는 인물에 대해 읽으면 독자가 정서적 회복력을 키우는 데 도움이 됩니다.
독서치료는 개인을 독서에 묘사된 다양한 대처 메커니즘과 문제 해결 접근법에 노출시킵니다. 이러한 노출을 통해 독자는 스트레스, 좌절, 불확실성을 관리하고 개인적인 여정에서 어려움에 직면할 때 회복력을 키우는 효과적인 전략을 식별할 수 있습니다.
독자들은 캐릭터가 어려움을 극복하고 성공을 달성하는 것을 목격하면서 자기효능감, 즉 자신의 행동을 통해 결과에 영향을 미칠 수 있다는 믿음을 내면화합니다. 독서치료는 개인이 목표를 설정하고, 주도권을 갖고, 장애물에 직면하여 지속함으로써 삶에서 의미 있는 변화를 이룰 수 있음을 보여줌으로써 자신감을 심어줍니다. 자신의 능력에 대한 이러한 믿음은 동기를 강화하고 독자가 결단력과 낙관주의를 갖고 목표를 추구할 수 있도록 힘을 실어줍니다.
독서치료는 독자에게 다양한 관점, 아이디어, 경험을 제공함으로써 지속적인 성장과 학습을 향상합니다. 가정에 도전하고 시야를 넓히는 문학에 참여함으로써 개인은 자신과 주변 세계에 대한 더 넓은 이해를 발전시킬 수 있습니다. 이러한 확장된 인식은 열린 마음, 적응성, 새로운 기회를 탐색하려는 의지를 키워 개인 및 직업적 발전에 기여합니다.
본질적으로, 독서치료는 영감을 주는 이야기, 실용적인 통찰력, 문학에서 파생된 정서적 지원을 제공함으로써 긍정적인 사고와 목표 지향적 태도의 발달을 향상합니다. 스토리텔링의 힘을 활용함으로써 개인은 탄력성을 키우고, 자기효능감을 높이며, 자신의 열망을 달성하고 만족스러운 삶을 영위하기 위한 변화의 여정을 시작할 수 있습니다.

세상과의 소통 : 공감, 소통, 사회 참여, 변화의 주체

공감 능력 향상 : 독서와 사회적 연결

독서는 다양한 관점, 경험, 감정을 볼 수 있는 독특한 창을 제공함으로써 사회적 연결성을 키우고 공감 능력을 향상시키는 데 중요한 역할을 합니다.
독서는 독서 클럽, 토론 그룹을 통해 다른 사람들과 공유하거나 단순히 친구에게 책을 추천할 때 사회적 활동이 될 수 있습니다. 이러한 상호 작용은 공동체 의식과 소속감을 조성하여 주제를 토론하고 통찰력을 공유하며 관점을 교환할 수 있는 기회를 제공합니다. 이러한 사회적 연결은 개인 간의 상호 이해와 지원을 향상함으로써 공감을 강화합니다.
독서는 개인을 연결하고 공동체 의식을 키우는 근본적인 사회적 활동이 될 수 있습니다. 북클럽 및 토론 그룹은 북클럽에 가입하거나 독서 그룹에 참여하면 비슷한 관심사를 공유하는 다른 사람들과 교류할 수 있는 기회가 제공됩니다. 이러한 상호 작용은 등장인물, 주제, 이야기의 감정적 영향에 대한 토론을 향상하고 문학과의 공유된 경험을 바탕으로 유대감을 형성합니다.
또한 친구, 가족, 동료에게 책을 추천하면 대화가 촉발되고 관계가 깊어질 수 있습니다. 이를 통해 개인은 자신이 읽은 이야기에 대한 자신의 관점, 통찰력 및 개인적인 연결을 공유하여 상호 이해와 공감을 강화할 수 있습니다.
더불어 디지털 시대에 온라인 플랫폼과 소셜 미디어를 통해 독자는 전 세계적으로 연결할 수 있습니다. 가상 북클럽, 포럼, 소셜 미디어 그룹은 사람들이 책에 대해 토론하고, 아이디어를 교환하고, 지리적 경계를 넘어 우정을 쌓을 수 있는 공간을 제공합니다.
사회 정의 문제, 불평등, 인권 침해를 강조하는 책은 독자들이 행동을 취하고 긍정적인 변화를 옹호하도록 영감을 줄 수 있습니다. 문학은 소외된 집단이나 사회적 문제에 대한 인식을 높이고 공감을 향상함으로써 보다 자비롭고 포용적인 사회를 만들기 위한 집단적 노력에 불을 붙일 수 있습니다.
사회 변화 향상 문학은 공감을 불러일으키고 사회 변화를 향상하는 심오한 능력을 가지고 있습니다.
또한, 불평등, 차별, 인권, 환경 문제와 같은 사회적 문제를 다루는 책은 독자들의 인식을 높일 수 있습니다. 문학은 소외된 공동체가 직면한 현실을 묘사하거나 긴급한 사회적 과제를 강조함으로써 영향을 받는 사람들에 대한 공감과 연민을 장려합니다. 이처럼 다양한 관점을 읽고 복잡한 주제를 연구하는 것은 비판적 사고와 건설적인 대화를 장려합니다.
이러한 토론은 기존 규범, 편견, 고정관념에 도전하여 사회 문제에 대한 더 깊은 이해를 향상하고 공감 중심 대화를 향상할 수 있습니다. 더불어 회복력, 행동주의, 사회 정의에 관한 이야기는 독자들이 지역 사회에서 행동을 취하도록 영감을 줄 수 있습니다. 문학은 긍정적인 변화를 가져온 개인이나 운동을 강조함으로써 독자가 스스로 변화의 주체가 되도록 동기를 부여하고 정의, 평등, 긍정적인 사회 개혁을 옹호합니다.
독서는 사회 규범에 도전하거나 대안적인 미래를 묘사하는 서술을 통해 문학은 문화적 태도와 가치를 형성하는 힘을 가지고 있습니다. 포용성, 다양성, 공감을 장려하는 책은 모든 형태의 다양성을 더 많이 수용하고 이해하는 쪽으로 문화적 변화에 기여합니다.
독서는 공유된 문학 경험을 통해 개인을 연결함으로써 사회적 유대를 강화할 뿐만 아니라 공감을 향상하고, 사회 문제에 대한 인식을 높이며, 대화를 향상하고, 보다 공평하고 자비로운 세상을 향한 집단 행동을 장려함으로써 사회 변화의 촉매 역할을 합니다. 문학이 지닌 변혁의 힘을 통해 독자들은 공감과 이해, 긍정적인 사회 변혁을 중시하는 사회를 만드는 데 기여할 수 있습니다.

소통 기술 개발 : 독서와 대화 능력

독서가 어떻게 대화 능력을 향상시킬 수 있는지에 대한 보다 부드럽고 명확하게 어휘 확장이 가능합니다.
다양한 종류의 책을 읽으면 새로운 단어와 문구를 많이 접하게 됩니다. 이렇게 하면 다른 사람과 대화할 때 자신을 더 명확하게 표현하는 데 도움이 됩니다. 풍부한 어휘를 사용하면 생각과 아이디어를 더 효과적으로 공유할 수 있습니다.

독서는 복잡한 이야기와 아이디어를 이해하고 정신을 예리하게 만드는 데 도움이 됩니다. 이 기술은 대화 중에, 특히 세부적이거나 어려운 주제를 논의할 때 매우 유용합니다. 이를 통해 토론을 더 쉽게 팔로우하고 참여할 수 있습니다.
책은 다양한 관점과 삶의 경험을 소개합니다. 이는 당신을 더 개방적이고 공감하게 만들어주며, 이는 의미 있는 대화에 중요합니다. 다른 사람의 관점에서 사물을 보는 것은 그 사람과 더 잘 연결되는 데 도움이 됩니다.
특히 픽션을 사용하면 다양한 캐릭터의 눈을 통해 세상을 경험할 수 있습니다. 이것은 당신의 공감력을 키우고, 다른 사람의 감정에 더 민감하게 만듭니다. 공감하는 것은 당신이 더 잘 경청하고 더 배려하는 대화가가 되는 데 도움이 됩니다.
이야기를 읽으면 자신의 이야기를 전달하는 능력이 향상됩니다. 좋은 스토리텔링은 매력적인 대화의 핵심 부분입니다. 개인적인 경험을 공유하든 무언가를 설명하든, 좋은 이야기를 들려줄 수 있으면 사람들의 관심이 계속 유지됩니다.
책은 이야기할 수 있는 많은 주제를 제공합니다. 소설이든, 에세이 책이든, 기사이든, 독서는 토론할 수 있는 풍부한 자료를 제공합니다. 다양한 주제를 가지면 다양한 사람들과 대화를 시작하고 유지하는 것이 더 쉬워집니다.
읽기에는 세부 사항에 대한 집중과 주의가 필요하며, 이는 듣기에서도 중요합니다. 이야기의 세부 사항에 주의를 기울이는 것처럼, 다른 사람의 말을 더 잘 듣게 됩니다. 이러한 세심함은 상대방의 말을 소중히 여긴다는 것을 보여주며, 이는 좋은 의사소통에 필수적입니다.
작가마다 아이디어를 표현하는 독특한 방법이 있으며, 독서를 통해 이러한 다양한 스타일을 접할 수 있습니다. 이를 통해 다양한 의사소통 스타일을 이해하고 이에 적응할 수 있어 대화에 더욱 다재다능해질 수 있습니다.
독서는 대화 능력을 향상시키는 훌륭한 방법입니다. 자신을 더 잘 표현하고, 다른 사람을 더 깊이 이해하는 데 도움이 되며, 이야기할 수 있는 무한한 주제를 제공합니다. 일상적인 대화에서든 심도 있는 토론에서든, 독서를 통해 얻은 기술은 당신을 더욱 명료하고 공감하며 매력적인 대화가로 만들어줍니다.

익명성 : 독서치료를 통한 커뮤니티 참여

일반적으로 가명으로 알려진 "사회적 차명"의 개념과 사람들이 이를 사용하는 이유를 자세히 살펴보겠습니다.
익명성이란 본질적으로 누군가가 자신의 실명을 사용하는 대신 채택한 가상의 이름입니다. 이러한 관행은 문학, 연예, 온라인 활동 등 다양한 분야에서 널리 퍼져 있습니다. 그런데 사람들은 왜 가명을 사용하는 것을 선택할까요?
개인정보 보호입니다. 많은 사람들이 자신의 실제 신원을 보호하기 위해 가명을 사용합니다. 이는 개인정보에 쉽게 접근할 수 있는 오늘날의 디지털 시대에 특히 중요합니다. 다른 이름을 사용함으로써 개인은 개인 정보를 보호하고 개인

생활과 직업 생활을 분리할 수 있습니다.
때때로 사람들은 자신의 삶에서 뚜렷하게 유지하고 싶은 다양한 측면을 가지고 있습니다. 예를 들어, 작가는 한 이름으로 동화책을 쓸 수도 있고 다른 이름으로 성인 소설을 쓸 수도 있습니다. 가명을 사용하면 혼동을 일으키지 않고 다양한 청중에게 서비스를 제공할 수 있습니다.
가명을 채택하면 개인은 자신의 창의적인 작업에 맞는 새로운 페르소나를 만들 수 있는 자유를 얻을 수 있습니다. 이는 실제 정체성에 얽매이지 않고 다양한 스타일이나 장르를 실험하려는 작가, 예술가, 공연자에게 특히 유용할 수 있습니다.
우리는 불행하게도 대중의 시선은 원치 않는 관심이나 심지어 위협을 가져올 수 있습니다. 논쟁의 여지가 있거나 세간의 이목을 끄는 분야에 종사하는 사람들에게 가명은 괴롭힘에 대한 두려움 없이 자신의 의견을 표현하거나 작품을 선보일 수 있는 안전 장치를 제공할 수 있습니다.
어떤 경우에는 가명이 브랜딩을 위한 전략적 선택이 될 수 있습니다. 눈에 띄고 기억에 남는 이름은 청중의 관심을 더 끌 수 있고 마케팅도 더 쉽게 할 수 있습니다. 독특한 이름이 눈에 띄고 그 자체로 브랜드가 될 수 있는 엔터테인먼트와 문학 분야에서는 특히 그렇습니다.
가명 또는 다른 이름을 사용함으로써 사람들은 자신이 어떻게 인식되는지에 대해 더 큰 통제권을 갖게 됩니다. 이는 자신의 진정한 정체성을 드러내지 않고도 다양한 사회적, 직업적 영역을 탐색할 수 있는 유연성을 제공합니다. 이는 개인이 자신의 개인 정보를 보호하고, 창의적인 벤처를 탐색하고, 자신만의 방식으로 세상과 소통할 수 있도록 함으로써 매우 강력한 힘을 실어줄 수 있습니다.
독서치료와 결합된 익명성을 통한 지역사회 참여는 여러 가지 이유로 매우 관련성이 높고 효과적일 수 있습니다. 이 접근 방식은 집단 참여와 익명성 보호 계층의 장점을 모두 활용하여 고유한 이점을 제공할 수 있습니다.
커뮤니티 참여에 있어서 익명성의 관련성은 장점이 될 수 있습니다.
익명성을 통해 참가자는 판단이나 낙인에 대한 두려움 없이 자신의 생각과 감정을 보다 자유롭게 공유할 수 있습니다. 이는 정신 건강, 개인적인 트라우마 또는 논쟁의 여지가 있는 문제와 같은 민감한 주제에 대한 토론에서 특히 유용합니다.
개인 정보 보호: 익명성은 개인이 자신의 신원을 공개하지 않고 커뮤니티 활동에 참여할 수 있도록 보장합니다. 이는 취약할 수 있거나 개인적인 경험을 비공개로 유지하려는 사람들에게 매우 중요합니다.
또한 익명성은 신원 장벽을 제거함으로써 커뮤니티 참여를 더욱 포괄적으로 만들 수 있습니다. 소외되거나 배제되었다고 느낄 수 있는 사람들도 동등한 입장에서 기여할 수 있습니다.
독서치료에는 개인이 자신의 감정을 이해하고 처리하도록 돕기 위해 문학을 사용하는 것이 포함됩니다. 그룹으로 진행하면 공유 학습과 자기 성찰이 진행됩니다. 참가자들은 주제, 인물, 내러티브에 대해 토론하고 다양한 관점을 얻어 자신의 이해를 풍부하게 할 수 있습니다.
또한, 슬픔, 불안, 사회 정의와 같은 일반적인 문제를 다루는 책을 읽고 토론하면 집단 치유에 대한 감각을 키울 수 있습니다. 참가자들은 자신의 어려움이 혼자가 아니라는 사실을 깨닫게 되며, 이는 믿을 수 없을 만큼 위안이 되고 힘을 실어줄 수 있습니다.
우리는 독서치료를 통해 개인은 다른 사람에 대한 더 깊은 공감을 개발할 수 있습니다. 이야기와 등장인물에 대해 토론하는 것은 참가자들이 다양한 관점에서 삶을 볼 수 있도록 돕고 더 강한 유대감과 공동체 의식을 키우는 데 도움이 됩니다.
이런 장점으로 익명성과 독서치료의 결합은 큰 상승 효과를 냅니다.
먼저 취약성을 위한 안전한 공간에 대한 익명성은 개인이 식별될 염려 없이 취약성을 표현할 수 있는 안전한 공간을 만듭니다. 이는 독서치료 세션에 정직하고 의미 있게 참여하는 데 매우 중요합니다. 또한 참여 강화은 개인이 안전하고 판단받지 않는다고 느낄 때 적극적으로 참여할 가능성이 더 높습니다. 이는 더욱 풍부한 토론과 보다 역동적인 커뮤니티 경험으로 이어집니다.
신원이 아닌 내용에 집중할 수 있습니다. 익명성은 말하는 사람이 누구인지에서 말하는 내용으로 초점을 이동시킵니다. 이를 통해 독서치료 세션의 내용(책에서 얻은 통찰력이나 참가자가 공유한 감정적 진실 등)이 중심이 될 수 있습니다.

편견 및 편견 감소할 수 있습니다. 정체성이 숨겨지면 인종, 성별, 사회경제적 지위 또는 기타 식별자에 따른 편견과 선입견이 최소화됩니다. 이를 통해 보다 진정한 상호 작용과 보다 지원적인 커뮤니티 환경이 조성될 수 있습니다.
온라인 플랫폼은 참가자들이 개인 정보를 공개하지 않고 책과 그 영향에 대해 토론할 수 있는 익명의 온라인 포럼이나 채팅방을 사용하세요.
참가자들이 서면 메모나 디지털 제출을 통해 익명으로 자신의 생각과 감정을 공유하도록 권장하며, 그런 다음 집단적으로 논의할 수 있습니다.
숙련된 진행자가 토론을 안내하여 존중하는 분위기를 유지하고 치유와 학습에 초점을 맞추도록 합니다.
이처럼 커뮤니티 참여에서 익명성과 독서치료를 결합하면 지원적이고 포용적이며 공감하는 커뮤니티를 조성할 수 있는 강력한 방법을 제공합니다. 이를 통해 개인은 문학과 서로에 대해 마음을 열고 깊이 관여할 수 있으며, 개인 정보를 보호하면서 치유와 개인적 성장을 향상할 수 있습니다. 이러한 이중 접근 방식은 지역사회 기반 치료 활동의 효과를 크게 향상시켜 관련된 모든 사람이 더 쉽게 접근할 수 있고 영향력을 미칠 수 있도록 해줍니다.
우리가 함께 독서치료에 참여할 때, 우리는 단지 방에서 혼자 책을 읽는 것이 아닙니다. 우리는 비슷한 경험을 겪고 있는 다른 사람들과 우리의 생각, 느낌, 해석을 공유하고 있습니다. 이러한 공유 활동은 믿을 수 없을 만큼 강력한 소속감과 지원을 키워줍니다.
독서치료라는 개념을 공동 활동으로 받아들여 봅시다. 독서 클럽을 시작하든, 독서 모임을 주최하든, 단순히 온라인으로 추천 도서와 토론을 공유하든, 모든 작은 노력이 중요합니다. 우리는 함께 모든 사람이 보고 듣고 가치 있다고 느낄 수 있는 지원적인 환경을 조성할 수 있습니다.

사회적 참여 : 독서치료를 통한 커뮤니티 참여

사회 참여는 활기차고 건강한 지역사회의 초석이며 개인의 행복과 집단적 성장에 중요한 역할을 합니다. 사회 참여는 단순한 활동 그 이상입니다. 이는 만족스럽고 연결된 삶의 필수 구성 요소입니다. 이는 지역사회를 강화하고, 우리의 삶을 향상시키며, 공감을 키우고, 긍정적인 변화를 만들 수 있는 힘을 실어줍니다. 사회 및 지역사회 활동에 적극적으로 참여함으로써 우리는 자신의 삶을 개선할 뿐만 아니라 우리 주변 세계의 성장과 활력에 기여합니다.
사회적 참여와 지역사회 참여의 맥락에서 독서치료, 즉 독서치료의 긍정적인 효과는 그룹 환경에서의 독서 치료는 연결감과 소속감을 키우는 공유 경험을 만듭니다. 개인들이 함께 모여 문학 작품을 읽고 토론할 때, 그들은 책에서 발견되는 공통 관심사와 공통 주제에 대해 유대감을 형성합니다. 이러한 공동체 의식은 믿을 수 없을 만큼 기분을 좋게 하여 외로움과 고립감을 줄여줍니다.

그룹으로 독서치료에 참여하면 정서적 안정성이 크게 향상될 수 있습니다. 회복력, 희망, 개인 성장이라는 주제를 연구하는 책에 대해 토론하면 위안과 영감을 얻을 수 있습니다. 개인적인 해석과 통찰을 공유하면 개인이 자신의 감정과 경험을 처리하는 데 도움이 되어 정서적 명확성과 평화를 더 잘 느낄 수 있습니다.

다양한 이야기를 읽고 다른 사람들과 토론하는 것은 다양한 관점에 대한 공감과 더 깊은 이해를 키워줍니다. 이 공유 활동을 통해 참가자들은 다양한 캐릭터의 입장이 되어 다양한 관점에서 삶을 볼 수 있습니다. 결과적으로 그룹 구성원은 더욱 동정심이 많고 개방적인 마음을 갖게 되며 그룹 내외에서 사회적 상호 작용이 향상됩니다.

독서치료는 개인적인 성찰과 성장을 장려합니다. 참가자들은 인물과 줄거리의 복잡성을 연구함으로써 자신의 삶에 대한 통찰력을 얻습니다. 그룹 토론은 종종 계시와 개인적인 발견으로 이어져 개인이 자신의 삶에서 긍정적인 변화와 결정을 내릴 수 있도록 힘을 실어줍니다.

독서치료 그룹에서 개인은 판단에 대한 두려움 없이 자신의 생각과 감정을 표현할 수 있는 안전한 공간을 찾습니다. 이러한 개방형 환경은 솔직한 대화를 장려하고 참가자들이 자신의 경험과 어려움을 공유할 수 있도록 해줍니다. 이러한 개방성은 믿을 수 없을 만큼 치유되고 검증되며 지원적인 커뮤니티를 육성할 수 있습니다.

그룹 환경에서 문학에 참여하면 비판적 사고, 이해력, 분석 능력과 같은 인지 능력이 향상됩니다. 그룹 내에서 다양한 관점에 대해 토론하고 토론하는 것은 마음을 자극하여 활동적이고 참여하도록 유지합니다. 이 정신 운동은 기억력, 집중력, 전반적인 인지 기능을 향상시킬 수 있습니다.

독서치료 그룹에 참여하면 더 넓은 사회적 영향을 미칠 수 있습니다. 개인은 공유된 독서 경험을 통해 성장하고 치유되면서 종종 지역 사회에서 더욱 적극적으로 활동하게 됩니다. 그들은 자신만의 독서 모임을 시작하거나, 읽기 쓰기 프로그램을 옹호하거나, 사회적 대의를 위해 자원 봉사할 수도 있습니다. 독서를 통한 개인적 성장의 파급효과는 의미 있는 지역사회 개선으로 이어질 수 있습니다.

독서치료에 참여함으로써 개인은 평생 학습과 호기심 문화에 기여합니다. 문학에 대한 이러한 집단적 참여는 지속적인 교육과 지적 연구를 장려합니다. 이는 개인이 계속 배우고 성장하도록 영감을 주어 자신과 지역 사회 모두에 이익이 됩니다.

사회적 참여의 맥락에서 독서 치료는 연결, 정서적 안정성, 공감, 개인적 성장 및 인지 발달을 향상하는 강력한 도구입니다. 이는 개인이 함께 공유하고, 배우고, 성장할 수 있는 안전하고 지원적인 환경을 조성합니다. 독서치료에 참여함으로써 우리는 자신의 삶을 향상시킬 뿐만 아니라 지역 사회의 힘과 활력에 기여합니다. 긍정적이고 지속적인 변화를 만들기 위해 독서의 즐거움과 공유된 문학 경험의 힘을 받아들여야 합니다.

변화의 주체로서의 독서치료 참여자

참가자의 정서적 변화를 최대화하기 위해, 독서치료는 참가자의 정서적 요구를 효과적으로 해결하고 지원적이고 변화적인 환경을 조성할 수 있도록 신중하게 설계되고 향상되어야 합니다. 이를 달성하기 위해 독서치료가 취해야 할 몇 가지 방향은 다음과 같습니다.

참가자의 구체적인 경험과 감정 상태에 공감하는 책을 선택하는 것이 중요합니다. 개인화된 독서 목록은 개인 및 그룹의 필요를 충족시켜 참가자들이 읽은 이야기에 반영된 자신의 투쟁과 승리를 볼 수 있도록 합니다. 이러한 개인화는 참여도와 관련성을 강화하여 감정적 영향을 더욱 심오하게 만듭니다.

훈련된 진행자가 주도하는 토론은 참가자들이 책의 정서적, 심리적 주제를 더 깊이 연구하는 데 도움이 될 수 있습니다. 진행자는 열린 대화, 개인적 성찰, 통찰력 공유를 장려해야 합니다. 이 과정은 참가자들이 자신의 감정을 처리하고 새로운 관점을 얻도록 도와 감정적 성장과 변화를 향상합니다.

일기 쓰기, 창의적 글쓰기, 미술 치료 등의 치료 활동과 독서를 결합하면 감정적 영향이 깊어질 수 있습니다. 이러한 활동을 통해 참가자들은 다양한 방식으로 자신의 감정을 표현하고 탐색할 수 있으며, 문학의 주제와 교훈을 강화할 수 있습니다.

독서치료 그룹이 안전하고 비판단적인 공간이 되도록 보장하는 것은 정서적 변화를 위해 필수적입니다. 참가자는 자신의 생각과 감정을 공개적으로 표현하는 것이 편안해야 합니다. 기밀 유지 및 정중한 경청에 대한 기본 규칙을 설정하면 이러한 지원 환경을 조성하는 데 도움이 될 수 있습니다.
다양한 삶의 경험, 문화, 관점을 다루는 다양한 책을 포함시키는 것은 참여자들이 타인에 대한 공감과 이해를 키우는 동시에 자신의 경험을 반영하는 이야기를 찾는 데 도움이 될 수 있습니다. 이러한 다양성은 토론과 정서적 통찰력을 풍부하게 할 수 있습니다.
회복력, 회복, 권한 부여라는 주제를 강조하는 책을 선택하면 참가자들에게 영감을 주고 대처 전략과 희망을 제공할 수 있습니다. 이러한 이야기는 역경을 극복하기 위한 모델이 될 수 있으며 참가자들이 자신의 삶에서 유사한 전략을 적용하도록 격려할 수 있습니다.
독서치료는 참가자의 더 넓은 치료 목표와 통합되어야 합니다. 독서 선택과 토론을 진행 중인 치료와 일치시키기 위해 정신 건강 전문가와 협력하면 전반적인 치료 과정을 향상시키고 독서 치료가 참가자의 개별 치료 계획을 지원할 수 있습니다.
읽기 자료와 토론에 대한 참가자의 경험과 감정적 반응에 대한 피드백을 정기적으로 수집하면 진행자가 프로그램을 조정하고 개선하는 데 도움이 될 수 있습니다. 이 피드백 루프는 독서치료 세션이 감정적 변화를 향상하는 데 적절하고 효과적인 상태를 유지하도록 보장합니다.
토론에 적극적으로 참여하고 참여하도록 장려하면 참가자가 책에서 얻은 교훈을 내면화하는 데 도움이 됩니다. 역할극,

극화, 읽기 자료를 기반으로 한 그룹 프로젝트와 같은 활동은 세션을 더욱 역동적이고 영향력 있게 만들 수 있습니다.
정서적 변화를 극대화하기 위해서는 독서치료를 일회성 활동이 아닌 장기적인 과정으로 보아야 합니다. 지속적인 세션과 후속 조치는 발생하는 정서적 통찰력과 변화를 강화하는 데 도움이 될 수 있습니다. 그룹 세션 외부에서 지속적인 독서와 성찰을 위한 자원을 제공하는 것도 지속적인 정서적 성장을 지원하는 데 도움이 될 수 있습니다.
독서치료가 정서적 변화를 극대화하려면 개인화되고 효과적으로 향상되어야 하며 더 넓은 치료 목표와 통합되어야 합니다. 안전하고 지원적인 환경을 조성하고, 다양하고 힘을 실어주는 독서 자료를 통합하고, 적극적인 참여와 성찰을 장려함으로써 독서치료는 참가자의 정서적 안정에 깊은 영향을 미치고 지속적인 개인 성장을 향상할 수 있습니다.

추가 연구 및 미래 전망

독서치료의 최신 연구 동향

독서치료(Bibliotherapy)는 문학과 독서를 통해 정서적, 심리적, 인지적 문제를 해결하거나 완화하는 치료 기법으로, 최근 몇 년 동안 다양한 연구와 실천을 통해 그 효과와 활용 가능성이 더욱 주목받고 있습니다. 최신 연구 동향을 살펴보면 다음과 같은 주요 분야에서 두드러진 발전이 이루어지고 있습니다.
최근 연구들은 독서치료가 청소년의 정서적 안정과 자기 이해를 향상하는 데 중요한 역할을 한다는 것을 보여주고 있습니다. 청소년들은 감정 표현과 이해에 어려움을 겪는 경우가 많은데, 문학 작품을 통해 간접적으로 자신을 탐색하고 공감 능력을 키울 수 있습니다. 이러한 과정을 통해 청소년들은 자신의 감정을 더 잘 이해하고 표현하게 되어, 정서적 안정감을 증진시킬 수 있습니다. 예를 들어, 특정 소설 속 인물의 경험을 통해 자신의 상황과 감정을 투영하고, 이를 바탕으로 상담사와 더 깊이 있는 대화를 나눌 수 있습니다.
성인 대상의 독서치료 연구에서는 스트레스와 불안 감소에 대한 긍정적인 효과가 입증되고 있습니다. 정기적인 독서 활동은 성인의 스트레스 수준을 현저히 감소시키고, 전반적인 삶의 질을 향상시키는 것으로 나타났습니다.
특히, 자기계발서나 심리학 서적을 통해 스트레스 관리 기법을 배우고 실천하는 것이 효과적이라는 연구 결과가 있습니다.
이러한 책들은 독자들이 자신의 문제를 객관적으로 바라보고, 해결책을 모색하는 데 도움을 줍니다.
고령자를 대상으로 한 독서치료 연구에서는 인지 기능 향상과 치매 예방에 대한 긍정적인 결과가 도출되고 있습니다.
고령자들이 정기적으로 책을 읽고 독서 그룹에 참여하면, 뇌의 자극을 통해 인지 기능이 유지되고, 사회적 상호작용을 통해 정서적 안정감도 얻을 수 있습니다. 이는 독서활동이 기억력과 주의력을 향상시키고, 사회적 고립감을 줄이는데 기여할 수 있음을 시사합니다.
독서치료는 PTSD(외상 후 스트레스 장애) 환자들에게도 유의미한 치료적 효과를 발휘합니다.
PTSD 환자들이 특정 주제의 문학 작품을 읽고 자신의 경험과 비교하면서 트라우마를 극복하는 과정을 돕는 연구가 증가하고 있습니다. 이러한 과정은 안전한 환경에서 자신의 감정을 탐색하고 이야기의 힘을 통해 치유받는 경험을 제공합니다.
예를 들어, 전쟁 경험을 다룬 소설을 읽고 자신의 경험을 투영함으로써 트라우마를 재해석하고 극복해 나가는 것입니다.
독서치료는 다양한 연령대와 문제를 가진 사람들에게 유의미한 도움을 줄 수 있는 치료법으로 자리잡아가고 있습니다.
최신 연구들은 독서치료의 효과를 실증적으로 입증하고 있으며, 이를 바탕으로 다양한 임상적 적용 방법들이 개발되고 있습니다. 앞으로도 독서치료는 정서적 안정, 스트레스 관리, 인지 기능 향상, 트라우마 극복 등 다양한 영역에서 중요한 역할을 할 것으로 기대됩니다. 지속적인 연구와 실천을 통해 독서치료의 잠재력은 더욱 확장될 것이며, 많은 사람들에게 심리적, 정서적 지원을 제공할 수 있을 것입니다.

미래의 독서치료 : 기술과 혁신

미래의 독서치료는 기술과 혁신적인 접근을 통해 더욱 발전할 것으로 기대됩니다. 특히 다음과 같은 부분에서 기술과 혁신이 독서치료에 기여할 수 있습니다:
미래의 독서치료에서는 가상 현실 기술이 중요한 역할을 할 것으로 예상됩니다. VR을 이용하면 독자들이 문학 작품의 세계 속으로 몰입할 수 있으며, 이를 통해 실제적이고 감각적인 경험을 제공받을 수 있습니다. 예를 들어, PTSD 환자들이 전쟁 소설 속 주인공의 시점에서 경험을 재구성하거나, 불안장애를 겪는 사람들이 현실과는 다른 안전한 환경에서 자아를 탐색할 수 있습니다.
기계 학습과 인공지능 기술을 활용한 개인 맞춤형 독서 추천 시스템이 발전할 것입니다. 개인의 성향, 상태, 필요에 따라 최적화된 독서 추천을 제공하여, 개인이 가장 효과적으로 장기적인 정서적 지원을 받을 수 있도록 도와줍니다.
이는 효율적인 치료 계획 수립과 개인 맞춤형 진행 상황 모니터링에 도움을 줄 수 있습니다.
미래의 독서치료에서는 인터랙티브 문학 플랫폼이 더 많이 발전할 것으로 기대됩니다. 이 플랫폼은 독자들이 작품의 결말을 선택하거나, 캐릭터와의 상호작용을 통해 직접적으로 이야기의 흐름을 조작할 수 있게 해줍니다. 이는 독자들이 자신의 경험을 보다 개인화하고, 그에 따라 감정적 치유와 성장을 향상시킬 수 있습니다.
미래의 독서치료에서는 데이터 분석과 관련된 기술들이 더욱 중요한 역할을 할 것입니다. 큰 데이터셋을 활용하여 독서치료의 효과를 정량적으로 평가하고 개선하기 위한 연구가 활발히 진행될 것입니다. 이는 독서치료가 더욱 과학적이고 효과적인 치료법으로 발전하는 데 기여할 수 있습니다. 또한, 가상 현실(VR) 기술을 이용한 상호작용형 독서 경험도 발전할 것으로 기대됩니다. 독자들이 가상 공간에서 다른 독자들과 소통하고 토론하며, 문학 작품에 대한 다양한 해석과 관점을 공유할 수 있는 환경이 제공될 것입니다. 이는 독서치료를 받는 사람들에게 사회적 지원과 공동체의 일부가 되는 경험을 제공함으로써 정서적 치유를 돕는 데 기여할 수 있습니다.
더불어 확장 현실(AR) 기술을 활용한 독서 환경도 중요한 발전 가능성이 있습니다. AR을 통해 현실 세계와 결합된 책의 추가적인 정보나 인터랙티브 요소를 제공하여 독서 경험을 더욱 풍부하게 만들 수 있습니다. 예를 들어, 역사 소설을 읽는 독자가 AR을 통해 역사적 장소의 3D 모델을 볼 수 있거나, 과학적인 소설을 읽는 독자가 AR을 통해 이론적 모델링을 시각적으로 탐험할 수 있습니다.
뇌과학 및 생리학 연구와의 접목을 통해 개인 맞춤형 독서치료 방법이 발전할 것으로 기대됩니다. 뇌 활동의 생리적 반응을 분석하여 특정 독서 경험이 개인의 정서적, 인지적 상태에 어떻게 영향을 미치는지를 이해하고, 이를 바탕으로 보다 정교한 치료 계획을 개발할 수 있습니다.
이러한 기술과 혁신적인 접근들이 결합된 미래의 독서치료는 보다 개인화된, 효과적인 치료 방법을 제공하며, 다양한 정서적, 심리적 문제를 가진 사람들에게 귀중한 지원을 제공할 수 있을 것으로 기대됩니다.

독서치료의 사회적 영향력 확대

독서치료의 사회적 영향력 확대는 현재와 미래의 사회적, 심리적 건강에 긍정적인 변화를 가져올 수 있는 중요한 요소입니다. 이는 여러 측면에서 중요성을 갖습니다:
정신적 건강 개선과 자기 이해
독서치료는 개인의 정신적 건강과 자아 이해에 중요한 기여를 할 수 있습니다. 문학 작품을 통해 독자는 다양한 인물의 경험을 체험하고, 이를 통해 자신의 감정과 상황을 비교하며 더 나은 자아 이해를 할 수 있습니다. 특히, 정서적 문제나 갈등을 겪는 사람들에게 문학은 감정적인 솔루션을 제공하고, 내적 회복과 성장을 향상할 수 있는 도구가 될 수 있습니다.
독서치료는 사회적 고립을 완화하고 공동체의 일원으로서의 연결감을 증진시킬 수 있습니다. 독서 그룹이나 독서 클럽을 통해 사람들은 공통의 관심사를 공유하고 토론하며, 서로의 경험을 이해하고 지지해 줄 수 있습니다. 이는 사회적 지지 체계를 강화하고, 고립된 개인들이 사회적 네트워크에 다시 통합될 수 있는 기회를 제공합니다. 특히 어린이와 청소년에게 독서치료는 교육적 성과 향상에도 기여할 수 있습니다. 문학을 통해 언어 능력, 창의적 사고, 공감 능력 등을 개발할 수 있으며, 학업 성취도를 높이는 데 도움이 됩니다. 또한 독서를 통해 다양한 문화적 배경과 관점을 이해하고 존중하는 태도를 길러줄 수 있습니다.

현재 사회적으로 변화무쌍한 시대에서, 독서치료는 정서적 지원의 중요한 축으로 자리잡고 있습니다. 사람들이 긴장과 불안을 겪는 상황에서 독서를 통해 정서적 안정성을 찾을 수 있으며, 사회적으로 갈등을 겪는 상황에서 이해와 공감을 바탕으로 조화를 찾아가는 데 기여할 수 있습니다.

독서치료는 다양한 문학 작품을 통해 문화적 다양성을 즐기고 이해하는 데 중요한 역할을 합니다. 다양한 배경과 경험을 가진 작가들의 작품을 통해 사람들은 세계의 다양성을 더 잘 이해하고, 자신의 경험을 넓혀갈 수 있습니다. 이는 사회적 갈등을 줄이고, 보다 포용적이고 이해심 깊은 사회를 구축하는 데 기여할 수 있습니다.

이러한 이유들로 인해 독서치료는 단순한 개인적인 활동을 넘어서 사회적 변화와 정신적 지원의 중요한 수단으로 자리잡고 있습니다. 앞으로의 연구와 실천을 통해 독서치료의 사회적 영향력을 더욱 확대시킬 수 있는 방법들을 지속적으로 모색해 나갈 필요가 있습니다.

결론

요약과 주요 시사점

책을 치료 도구로 사용하는 독서치료는 개인의 삶과 삶의 행복의 다양한 측면을 다루는 다면적인 접근 방식을 포괄합니다. 이 요약은 서지치료 프로그램의 핵심 구성 요소와 의미를 강조합니다.
효과적인 독서치료 프로그램은 정신 건강, 뇌 건강, 신체적 향상을 포함한 다양한 요구에 부응하도록 구성됩니다.
이 프로그램은 개인화된 지원을 제공하도록 설계되어 참가자가 개인적인 경험을 탐구하고 문학적 참여를 통해 성장을 향상할 수 있습니다. 독서치료의 효능은 엄격한 과학적 검증이 필요합니다. 연구 노력은 독서치료가 정신 건강, 정서적 안정, 전반적인 삶의 질 개선에 어떻게 기여하는지 보여주는데 집중합니다.
연령, 문화적 배경, 신체적 조건과 같은 요소를 고려하여 다양한 인구통계를 수용하도록 문헌 치료 프로그램을 맞춤화하는 것이 중요합니다. 이 접근 방식은 참가자가 고유한 상황에 따라 프로그램에서 최대한의 혜택을 얻을 수 있도록 보장합니다. 독서치료에 사용되는 책은 공감과 개인적 성찰을 향상하는 감정적으로 공명하는 캐릭터와 서사를 특징으로 해야 합니다. 참가자의 경험과 공명하는 주제는 치료 과정을 강화하여 독서치료 그룹은 직접 또는 온라인 플랫폼을 통해 소집하여 접근성과 참여를 확대할 수 있습니다. 특히 온라인 커뮤니티는 도달 범위를 강화하여 물리적 경계를 넘어 참여와 지원의 기회를 제공합니다.

독서치료의 핵심은 개인적 성찰과 성장을 높이는 능력입니다. 참여자들은 문학에 참여하여 새로운 관점과 통찰력을 얻고 자존감을 강화하며 긍정적인 개인적 발전을 향상합니다.

독서치료는 긍정적인 변화에 대한 낙관주의와 희망을 심어줌으로써 개인에게 힘을 실어줍니다. 그것은 새로운 자신감과 회복력을 위한 촉매 역할을 하며, 새로운 시작과 변혁의 여정을 용이하게 합니다.

진행 중인 연구는 다양한 도메인에서 독서치료의 잠재력을 최대한 탐구하는 것을 목표로 합니다. 향후 노력은 독서치료의 적용을 확대하고, 새로운 치료적 길을 발견하고, 다양한 의료 환경에서의 통합을 강화하는 데 집중할 것입니다.

이 책은 체계적인 프로그램과 맞춤형 접근 방식을 통한 독서치료가 어떻게 정서적 안정을 증진하고, 개인적 성장을 향상하고, 지역 사회 회복력을 육성함으로써 개인의 삶에 영향을 미치는지 알아보고 있습니다.

독서치료의 힘을 받아들이다.

문학을 치료 목적으로 사용하는 예술인 독서치료는 개인적 성장과 커뮤니티 회복력으로 가는 문을 열어줍니다. 단순한 독서를 넘어선 것입니다. 책의 감정적, 지적 잠재력을 활용하여 치유하고 영감을 주는 체계적인 접근 방식입니다.
독서치료 프로그램은 전체적인 삶의 행복하기 위해 섬세하게 설계되었습니다. 정신 건강, 인지 기능 및 신체적 향상을 충족하며 신중하게 선택된 문학 작품을 통해 개인화된 모험 및 자기 발견,성찰의 기회를 제공합니다.
 독서 요법의 효과는 과학적 연구에 의해 입증되었습니다. 연구는 지속적으로 정신 건강 결과를 향상시키고, 감정적 회복력을 기르고, 전반적인 삶의 질을 높이는 독서 요법의 능력을 강조합니다. 이 증거는 독서 요법을 검증된 치료적 개입으로 강조합니다.
 독서 치료에서는 한 가지 크기가 모두에게 맞는 것은 아닙니다. 프로그램은 연령, 문화적 배경 및 건강 상태를 고려하여 다양한 청중의 고유한 요구를 충족하도록 맞춤화됩니다. 이러한 포용성은 모든 사람이 문학의 치유력으로부터 혜택을 볼 수 있도록 보장합니다.
올바른 책을 선택하는 것은 독서치료에서 매우 중요합니다. 공감할 수 있는 캐릭터와 주제가 있는 스토리는 공감과 성찰을 향상하여 치료적 환경에서 깊은 개인적 성장과 정서적 연결을 향상합니다.
오늘날의 디지털 시대에, 독서치료는 물리적 모임과 온라인 커뮤니티를 모두 수용합니다. 이러한 플랫폼은 참여, 지원 및 공유 학습 경험을 위한 접근 가능한 경로를 제공하여 서지치료를 보다 포괄적이고 영향력 있게 만듭니다.
본질적으로, 독서치료는 개인이 자신의 내면 세계를 연구하도록 진행합니다. 문학에 깊이 관여함으로써 참가자는 새로운 관점, 통찰력, 정서적 회복력을 얻습니다. 이 여정은 그들이 긍정적인 변화를 시작하고 새로운 희망을 받아들일 수 있도록 힘을 실어줍니다.
독서치료의 미래 노력은 의료 및 삶의 질 향상 환경에서의 응용 프로그램 확장에 초점을 맞춥니다. 치료 방법론의 혁신과 주류 관행으로의 통합은 개인의 안정과 지역 사회 응집력에 미치는 영향을 더욱 강화할 것을 약속합니다.
독서치료는 문학을 통한 치유의 여정을 제공합니다. 공감, 이해, 긍정, 낙관주의를 향상시키는 여정입니다. 우리 모두에게 개인적 성장, 회복력, 긍정적인 변화의 길로 나아가도록 초대합니다.

독서치료의 지속적 발전을 위한 제언

독서치료는 정서적, 정신적, 사회적 문제 해결과 개인 발전을 향상하는 중요한 치료 방법으로 인식되고 있습니다. 이러한 중요성을 감안할 때, 독서치료의 지속적 발전을 위해 다음과 같은 제언들을 고려할 필요가 있습니다:

독서치료의 효과적인 이론과 실제 적용을 위한 연구를 장려해야 합니다. 이는 과학적 근거를 바탕으로 효과적인 치료 방법을 발전시키는 데 중요한 역할을 합니다. 전문가들에게는 지속적인 교육과 연수가 필요하며, 신기술이나 신규 접근법에 대한 교육을 제공하여 임상 실무의 품질을 향상시켜야 합니다.

독서치료가 정신 건강 치료에만 국한되지 않고, 신체적 질병, 정서적 문제, 사회적 고립 등 다양한 문제에도 적용될 수 있는 방안을 탐구해야 합니다.

특히, 특정 집단(예: 노인, 청소년, 장애인 등)에 맞춤형 독서치료 프로그램을 개발하여 사회적 평등 증진에 기여할 수 있습니다.

디지털 플랫폼과 인공지능 기술을 도입하여 독서치료의 접근성을 높이고, 개인 맞춤형 치료를 제공할 수 있는 방안을 모색해야 합니다.

독서 환경을 개선하고, 참여자들 간의 지속적인 상호 작용을 향상하여 치료 효과를 극대화할 수 있습니다.

독서치료의 실질적 효과와 장기적인 영향력을 정량적 및 정성적으로 평가하는 연구가 필요합니다. 특히, 비용 대비 효과적인 프로그램을 개발하고, 정책 결정자들에게 독서치료의 가치를 설득할 수 있는 강력한 증거를 제공해야 합니다.
이런 실질적인 효과와 영향력을 지원하는 환경으로 도서관이 있습니다.
도서관에서 독서치료가 참여자들에게 효과적으로 이루어질 수 있는 맥락을 제공하기 때문입니다.
도서관은 다양한 주제와 형식의 도서, 학술 자료, 전자 콘텐츠 등을 제공하여 독서치료 세션에 필요한 자료를 참여자들에게 제공할 수 있습니다. 참여자들이 자신의 관심사나 필요에 맞춰 자유롭게 자료를 선택하고 활용할 수 있도록 합니다. 도서관은 조용하고 평화로운 공간을 제공하여 참여자들이 집중하고, 독서치료 활동에 집중할 수 있는 이상적인 환경을 조성할 수 있습니다. 치료 과정에서 중요한 요소로, 참여자들이 감정적으로 안정감을 느끼고 집중력을 높일 수 있게 합니다.
도서관은 지역 사회의 중심지로서, 다양한 프로그램과 활동을 통해 참여자들이 사회적 연결을 형성하고 지원 시스템을 구축할 수 있는 플랫폼을 제공할 수 있습니다. 독서치료 세션을 통해 참여자들은 서로의 경험을 공유하고 지원받을 수 있는 기회를 가질 수 있습니다.
도서관은 전문적으로 훈련된 도서관사서와 함께, 독서치료의 최신 연구와 접근법에 대한 정보를 제공하고, 이를 활용할 수 있는 기회를 제공할 수 있습니다. 독서치료 전문가와 도서관 사이의 협력을 향상하며, 효과적인 프로그램 운영을 지원합니다. 도서관은 지속적인 프로그램 운영과 확장 가능성을 제공하는 장소로서 중요한 역할을 합니다. 지역사회의 밑바탕으로서, 도서관은 독서치료 프로그램의 지속성과 발전 가능성을 보장하며, 지속적인 참여와 관심을 유도할 수 있습니다.

이러한 이유들로 인해 도서관은 독서치료의 지원환경으로서 필수적인 역할을 하며, 참여자들에게 심리적 치유와 발전의 기회를 제공할 수 있는 공간으로 자리 잡고 있습니다. 따라서 도서관은 독서치료가 효과적으로 구현될 수 있는 공간으로 활용되어야 합니다.독서치료의 실시와 연구 과정에서 윤리적 원칙을 철저히 준수해야 합니다. 독서치료를 하기 위해서는 참여자의 개인정보 보호와 치료 과정의 투명성을 확보하는 것이 중요합니다. 특히, 다양한 문화적 배경과 신념을 고려하여 독서치료 접근 방식을 적절히 수정하고 적용하는 방법을 모색해야 합니다. 이러한 제언들이 독서치료가 보다 효과적이고 지속 가능한 방법으로 발전하는 데 기여할 수 있을 것입니다. 전문가들과 정책 결정자들 간의 협력을 강화하고, 지속적인 연구와 혁신을 통해 독서치료가 더 많은 이들에게 긍정적인 영향을 미칠 수 있도록 노력해야 합니다.

에필로그

마지막 페이지를 넘기며:
독서치료로 피어나는 새로운 삶

마지막 페이지를 넘기며, 우리는 독서치료의 놀라운 여정을 마무리합니다. 과학적 연구와 실제 경험을 통해 증명된 독서치료의 효과는 마치 마법 같은 힘으로 우리의 마음과 몸을 치유하고, 새로운 삶을 선사합니다.

독서치료는 단순히 책을 읽는 것을 넘어, 감동, 공감, 희망을 통해 우리의 내면을 깨우고, 삶의 방향을 제시하는 지혜로운 가이드입니다. 다양한 주제와 장르의 책들은 우리의 경험과 감정을 반영하고, 새로운 시각을 선사하며, 세상과의 연결을 강하게 해줍니다.

독서치료 프로그램은 전문가의 도움을 통해 효과적이고 맞춤형으로 진행됩니다. 책 선정, 토론, 상담을 통해 우리는 자신에게 필요한 책을 만나고, 책 속 이야기와 공감하며, 긍정적인 변화를 이끌어냅니다.

또한 어린이, 성인, 노인, 특정 질환자까지 모든 사람들에게 도움을 줄 수 있습니다. 다양한 대상을 위한 맞춤형 프로그램은 개개인의 특성과 요구에 맞춰 설계되어 최상의 효과를 제공합니다.

독서는 우리에게 감동, 공감, 희망을 선사하며, 새로운 삶을 향한 여정을 응원합니다. 이러한 변화로 마음의 문을 열고

책 속 세상에 발걸음을 내딛는 순간, 우리는 놀라운 변화를
경험하게 될 것입니다.
독서치료로 얻을 수 있는 삶의 변화는 무궁무진합니다. 우울증, 불안, 스트레스를 극복하고, 자존감을 높이며, 인지 기능을 개선할 수 있습니다. 또한, 뇌 건강, 신체 건강, 사회적 기능까지
전반적인 삶의 질을 향상시킬 수 있습니다.
독서치료는 우리 삶의 밝은 등불입니다. 어둠 속에서 방황하는 우리에게 희망과 용기를 북돋아주고, 새로운 시작을 위한 힘을 선사합니다. 마지막 페이지를 넘기며 우리는 다시 한번 다짐
합니다. 앞으로도 독서를 통해 끊임없이 성장하고, 더욱 풍요로운 삶을 만들어 나갈 것을. 함께 독서치료의 여정을 시작하고,
새로운 삶을 꽃피워 나가길 바랍니다.
이 책을 낼 수 있도록 도움 주신 나의 든든한 가족, 나의 마음에 늘 산타클로스 같은 하늘에 계신 우리 엄마, 나에게 언제나 멋진 지원군 우리 아빠, 항상 긍정 응원해 주는 우리 언니! 그리고 연락은 자주 못해도 마음만으로도 벅찬 친구들, 늘 보듬어 주신 선생님들 덕분에 이 책이 만들어졌습니다. 감사하고, 또 사랑합니다.
어렸을 때 엄마랑 손잡고 서점 가서 엄마 옆에서 책 읽는 모습이 생각이 나네. 늘 까탈스러운 딸이어서 엄마 많이 힘들었지? 미안해.
나는 엄마 딸이어서 너무 행복했고, 늘 따뜻했어요.
사랑해요. 엄마!
하늘에 계신 나의 평생 멘토 엄마에게 이 책을 받칩니다.

참고문헌

김진영. (2019). 독서치료의 이론과 실제. 서울: 학지사.
박영숙. (2018). 마음을 치유하는 독서치료.
서울: 시그마프레스.
이영숙. (2020). 독서치료 프로그램 개발과 적용.
서울: 양서원.
조현주. (2017). 아동 독서치료. 서울: 창지사.
정영애. (2016). 청소년을 위한 독서치료. 서울: 학지사.
박소현. (2021). 독서치료사의 실제. 서울: 파란마음.
송미영. (2019). 심리학자와 함께하는 독서치료.
서울: 북이십일.
김소연. (2018). 어른을 위한 독서치료. 서울: 글담.
이민경. (2020). 독서치료, 마음을 읽다. 서울: 책읽는수요일.
한혜원. (2017). 독서치료, 삶을 바꾸다. 서울: 책과나무.
Brewster, L. (2016). Bibliotherapy.
London: Facet Publishing.
Berthoud, E., & Elderkin, S. (2015). The Novel Cure: From Abandonment to Zestlessness: 751 Books to Cure What Ails You. New York: Penguin Books.
McCulliss, D. (2013). Bibliotherapy: Clinical Foundations and Applications. Ann Arbor, MI: University of Michigan Press.
Jack, S. & Ronan, D. (2018). Reading for Life: High-Quality Literacy Instruction for All. London: Routledge.
Healy, D. (2020). The Reading Cure: How Books Restored My Appetite. London: Canongate Books.
Cohen, D. (2019). The Bibliotherapy Effect: Harnessing Your Brain's Natural Healing Power with Books. New York: Skyhorse.
Elderkin, S., & Berthoud, E. (2021). The Art of Being a Brilliant

Teenager. New York: HarperCollins.
Norris, M. (2017). The Reading Prescription: How Books Can Help You Heal. New York: Riverhead Books.
Schrank, B., & Pannbacker, V. (2014). Bibliotherapy and Beyond: Reading for Social and Emotional Growth. Austin, TX: Pro-Ed.
Weldon, V. (2015). Reading is My Window: Books and the Art of Reading in Women's Prisons. Chapel Hill, NC: The University of North Carolina Press.
Gregory, R. J., Schwer Canning, S., Lee, T. W., & Wise, J. C. (2004). Cognitive bibliotherapy for depression: A meta-analysis. Professional Psychology: Research and Practice, 35(3), 275-280.
Stallard, P., Velleman, R., & Richardson, T. (2010). Computerized CBT (Think, Feel, Do) for depression and anxiety in children and adolescents: Results of a pilot randomized controlled trial and feedback. Behavioural and Cognitive Psychotherapy, 38(3), 273-284.
Pennebaker, J. W., & Seagal, J. D. (1999). Forming stories: The health benefits of narrative. Journal of Clinical Psychology, 55(10), 1243-1254.
Nummenmaa L, Glerean E, Hari R, Hietanen JK. Maps of subjective feelings. Proc Natl Acad Sci U S A. 2014 Sep 11;111(37):646-651.
American Library Association. Mental health. https://www.ala.org/. Accessed June 4, 2024.
National Alliance on Mental Illness (NAMI). Reading therapy. https://www.nami.org/.
American Library Association. Readers' advisory. https://www.ala.org/.
National Endowment for the Arts. To read or not to read: A national survey of reading and library usage. https://www.arts.gov/. Published 2018.

American Library Association. Teen programming.
https://www.ala.org/yalsa/teen-programming-guidelines.
Khamis S, Wright KD, Tucker P. Bedtime reading improves sleep quality in adults. Sleep. 2015;38(9):1387-1393.
American Library Association. Reading therapy.
https://www.ala.org/aboutala/sites/ala.org.aboutala/files/content/LBOR%20&%20FTR%20Statement.pdf.
National Alliance on Mental Illness (NAMI). Reading therapy.
Available at: https://www.nami.org
American Library Association. Readers' advisory.
https://www.ala.org/.
National Alliance on Mental Illness (NAMI). Reading therapy.
https://www.nami.org/.
Bibliotherapy. http://www.bibliotherapy.or.kr
Gugak Center. https://gugak.go.kr/site/main/index005.
Humi H. Reading therapy. https://brunch.co.kr/@humi10022qox/7.
Seehint. Bibliotherapy. http://www.seehint.com/word.asp?no=12730.
National Academy of Sciences. https://www.nationalacademies.org
Korea Association of Bibliotherapy. http://www.bibliotherapy.or.kr
National Institute of Health Research Library.
https://library.nih.go.kr/.
Korean Society for Health Information and Statistics.
https://www.koshis.or.kr
Korea Health Industry Development Institute.
https://www.k-his.or.kr
National Evidence-based Healthcare Collaborating Agency.
https://www.neca.re.kr

독서치료 참고도서

감정종류	도서명	저자
Angry	화를 풀어주는 편지	이종서
	불쾌한 감정을 다스리는 법	박정아
	The Dance of Anger: A Woman's Guide to Changing the Patterns of Intimate Relationships	Harriet Lerner
	The Cow in the Parking Lot: A Zen Approach to Overcoming Anger	Leonard Scheff, Susan Edmiston
Sad	당신이 헤어진 이유	김용화
	A Grief Observed	C.S. Lewis
	One Day	David Nicholls
	Eat, Pray, Love	Elizabeth Gilbert
Anxious	허무한 삶에서 희망을 찾다	이근종
	두려움을 이기는 법	마이클 마이너

	Feel the Fear and Do It Anyway	Susan Jeffers
	The Subtle Art of Not Giving a F*ck: A Counterintuitive Approach to Living a Good Life	Mark Manson
Hurt	상처를 치유하는 다정한 마음	이순자
	빛의 굴레	한강
	The Wounded Heart: Hope for Adult Victims of Childhood Sexual Abus	Dan B. Allender
	Healing the Shame that Binds You	John Bradshaw
	The Body Keeps the Score: Brain, Mind, and Body in the Healing of Trauma	Bessel van der Kolk
Embarrassed	내 안의 두 얼굴	김승옥
	孤独な時代 (고독한 시대)	히라타 히데오 (平田英明)

	Quiet: The Power of Introverts in a World That Can't Stop Talking	Susan Cain
	The Lonely City: Adventures in the Art of Being Alone	Olivia Laing
	The Bright Side of Going Dark	Kelly Harms
Happy	The Power of Now: A Guide to Spiritual Enlightenment	Eckhart Tolle
	The Happiness Projec	Gretchen Rubin
	しあわせな時間 (행복한 시간)	요시다켄이치 (吉田健一)
	감사의 힘	김난도

과학으로 증명된 독서치료 효과 MIND MASTERY

발 행 | 2024년 07월 16일
저 자 | 노금선
펴낸이 | 한건희
펴낸곳 | 주식회사 부크크
출판사등록 | 2014.07.15.(제2014-16호)
주 소 | 서울특별시 금천구 가산디지털1로 119 SK트윈타워 A동 305호
전 화 | 1670-8316
이메일 | info@bookk.co.kr

ISBN | 979-11-410-9566-6

www.bookk.co.kr